Negociación internacional

Estrategias y casos

OLEGARIO LLAMAZARES GARCÍA-LOMAS

DIRECTOR DE *GLOBAL MARKETING STRATEGIES*

ANA NIETO CHURRUCA

JEFE DE NUEVOS PROYECTOS DEL INSTITUTO ESPAÑOL DE COMERCIO EXTERIOR (ICEX)

Negociación Internacional

Estrategias y casos

Centro Internacional
Carlos V

EDICIONES PIRÁMIDE

COLECCIÓN «ECONOMÍA Y GESTIÓN INTERNACIONAL»

Director de la colección:
Juan José Durán Herrera

Diseño de cubierta: Anaí Miguel

© Olegario Llamazares García-Lomas
    Ana Nieto Churruca
© Ediciones Pirámide (Grupo Anaya, S. A.), 2002
Juan Ignacio Luca de Tena, 15. 28027 Madrid
Teléfono: 91 393 89 89
www.edicionespiramide.es
Depósito legal: M. 39.743-2002
ISBN: 84-368-1706-0
Printed in Spain
Impreso en Lavel, S. A.
Polígono Industrial Los Llanos. Gran Canaria, 12
Humanes de Madrid (Madrid)

A Sandra y Jorge, dos expertos negociadores.

Índice

© Ediciones Pirámide

Introducción

En los últimos años se ha producido un incremento espectacular de las relaciones económicas internacionales, tanto en lo que se refiere a operaciones de comercio exterior como de inversión extranjera, que a principios del siglo XXI se situaron en 6,2 y 1,3 billones de dólares, respectivamente. Esto significa que cada día se cierran en el mundo miles de acuerdos —de compraventa de mercancías, prestación de servicios, transferencia de tecnología, constitución de *joint-ventures*, etc.— entre empresas de distintos países. Cualquiera que haya sido la forma en la que se han negociado (en una oficina o en la sala de juntas de una empresa, en los salones de un hotel, a través del teléfono o mediante el intercambio de *e-mails*), lo importante es que cada parte ha tenido que ir acercando sus posiciones a las de la otra; la habilidad con la que lo hayan hecho será determinante en el beneficio que obtenga cada una de ellas. Hay que tener presente que una negociación no consiste en conseguir todo lo que se desea, sino en obtener lo más posible. Se trata de llegar a una situación razonable para ambas partes de forma que les permita crear, mantener o desarrollar una relación comercial.

Las diferencias entre una negociación internacional y aquella que se realiza entre empresas del mismo país son, básicamente, seis:

— Las negociaciones internacionales suelen ser más largas y complejas, por lo que la preparación, la paciencia y la perseverancia son imprescindibles.
— Hay menos información sobre la otra parte y, generalmente, mayores dificultades para obtenerla, lo cual genera desconfianza y una actitud de reserva.
— El desequilibrio entre las partes suele ser mayor, bien sea debido al tamaño de las empresas, el grado de desarrollo de los países o la preparación técnica de los negociadores.

— Las partes deben negociar en un marco legal (contratos, impuestos, normativas sobre comercio e inversión, prácticas comerciales, etc.) que no es común a ambas, y este hecho puede retrasar o condicionar el proceso negociador.

— Existe mayor incertidumbre y riesgo, debido sobre todo a cambios imprevistos en el país en el que se va a realizar el negocio, especialmente si se trata de mercados emergentes cuyas economías están sometidas a una elevada volatilidad.

— Aparecen unas diferencias culturales (en el idioma, el concepto del tiempo, la forma de hacer concesiones, las normas de protocolo, etc.) que dificultan el entendimiento entre las partes.

Comprender estas diferencias y saber adaptarse a ellas de la forma más ventajosa posible son los objetivos de este libro. A partir de una clasificación de los diferentes tipos de negociaciones internacionales y del perfil que debe poseer un negociador internacional eficaz, se pasa a describir las fases por las que atraviesa un proceso de negociación en mercados exteriores y las tácticas que se utilizan en cada una de ellas. Se analizan los aspectos culturales que tienen mayor relevancia a la hora de negociar y los estilos que caracterizan a negociadores de diferentes zonas geográficas: Europa, América del Norte, América Latina, Asia, países árabes y África. Finalmente, se proporcionan unas normas de protocolo que deben observarse cuando se negocia en mercados internacionales.

El libro se completa con dos apartados que consideramos de especial interés para el lector: se exponen cinco casos de empresas españolas que han negociado con éxito acuerdos complejos en diferentes países y se ofrecen unas recomendaciones para diseñar la estrategia negociadora en treinta países que representan, en su conjunto, más del 80% de la actividad económica mundial.

Es indiscutible que para llegar a ser un buen negociador las experiencias adquiridas en la práctica profesional son esenciales. Pero no es menos cierto que si se cuenta con unos conocimientos y herramientas acerca de cómo negociar en mercados exteriores el aprendizaje, a partir de la propia experiencia, será más rápido y efectivo. Ésta es la aportación que pretendemos realizar con este libro. Esperamos que su lectura le sea de utilidad. Déjenos conocer sus opiniones y experiencias en negociación internacional en nuestras direcciones de *e-mail*.

Olegario Llamazares García-Lomas
gms@exponet.es

Ana Nieto Churruca
nietoana@terra.es

1. La negociación en una economía global

Objetivos del capítulo:

1. Destacar la importancia que tiene adquirir habilidades negociadoras en un entorno internacional.
2. Identificar las diferencias que existen entre una negociación en la cual las partes son del mismo país y una negociación internacional.
3. Comprender el significado del margen de maniobra que se establece entre la posición de partida y la posición de ruptura de cada parte.
4. Clasificar los diferentes tipos de negociaciones basándose en las actitudes que adoptan las partes.
5. Saber cómo se forma y qué funciones tienen los integrantes de un equipo negociador.
6. Describir el perfil que debe poseer un negociador internacional eficaz.

1.1.
¿Qué es negociar en mercados exteriores?

Las personas encargadas de llevar a cabo la actividad internacional de la empresa ocupan gran parte de su tiempo en negociar con otras personas de diferentes países. Estas negociaciones se centran en una gran variedad de temas, de entre los cuales los de carácter comercial son los más comunes y los que sirven, generalmente, para iniciar la relación empresarial. A lo largo de este capítulo nos referiremos a la negociación internacional que tiene lugar entre empresas de distintos países. La más habitual es la que tiene que ver con las operaciones de compraventa internacional —acuerdos sobre precios, garantías, lugar y plazo de entrega, condiciones de pago, etc.—, pero también se negocia con mayor o menor frecuencia sobre cuestiones tales como: las condiciones de colaboración con un agente o distribuidor, los términos de un acuerdo para la constitución de una *joint-venture*, una franquicia, un contrato de distribución recíproca entre fabricantes (conocido como *piggyback*), los acuerdos con los canales de distribución, la implementación de fusiones y adquisiciones, etc. (véase cuadro 1.1).

La negociación es un proceso en el que intervienen dos partes enfrentadas que intentan, mediante el acercamiento de posiciones, conseguir una situación aceptable para ambas de forma que les permita crear, mantener o desarrollar una relación. Cuando la negociación es internacional, las partes negociadoras pertenecen a distintos países.

Para obtener el resultado deseado, la negociación internacional debe reunir las siguientes características:

CUADRO 1.1

Negociaciones internacionales entre empresas

— Importación/exportación de bienes y servicios a cliente o punto de venta final.
— Contratos de compraventa con centrales de compra.
— Acuerdos de suministro internacionales.
— Acuerdos de subcontratación internacional.
— Contratación de agentes comerciales y distribuidores.
— Constitución de *joint-ventures* internacionales.
— Constitución de franquicias internacionales.
— Contratos de distribución recíproca *(piggyback).*
— Alianzas estratégicas.
— Fusiones y adquisiciones.
— Acuerdos de transferencia de tecnología y cesión de patentes.
— Negociaciones para la presentación a una licitación pública.

— *Desarrollarse mediante un proceso por etapas.* La negociación no debería ser un enfrentamiento desordenado de fuerzas y deseos, sino una secuencia de etapas desde la preparación hasta la conclusión del acuerdo. Se trata de estructurar el proceso negociador, de forma que se tengan siempre presentes los objetivos a conseguir, el trabajo a realizar y el comportamiento que se debe adoptar en cada momento. La secuencia de etapas típica es la siguiente:

Toma de contacto → Preparación → Desarrollo: encuentro, propuestas e intercambio → Conclusión

No todas las negociaciones trancurren exactamente en este orden. Lo importante es que sigan la secuencia que mejor se adapte a las circunstancias y que el negociador sea consciente en cada momento de la etapa en la que se encuentra.

— *Intercambio múltiple.* La negociación implica un trueque de algo que una de las partes tiene a cambio de lo que desea de la otra. El intercambio en la negociación es del tipo: «Si usted me conceda X, yo le doy Y».

Este intercambio es múltiple, ya que una negociación no suele centrarse exclusivamente en un aspecto, sino que trata varias cuestiones.

La agenda de asuntos a tratar de Lloveras, S. A.

El fabricante español de maquinaria para procesado de cacao y chocolate Lloveras, S. A., tenía intención de negociar un posible acuerdo de colaboración con otro fabricante del sector radicado en Holanda, la empresa Wetteren. En la fase de preparación de las negociaciones delimitó la lista de asuntos principales a tratar. Éstos eran los siguientes:

— La posible colaboración debería tener un alcance comercial mundial.

— Utilización de una sola marca (¿Wetteren-Lloveras?).

— Discutir la posibilidad de intercambio de tecnologías.

— Posibilidad de centralizar la producción de ciertas piezas en una de las dos fábricas con el consiguiente suministro a la otra de los componentes que se dejaran de producir.

— Los productos que seguiría fabricando cada empresa. Éste era el asunto más delicado.

— Forma de comercializar la gama común de productos.

— Representantes y distribuidores en mercados exteriores a mantener y cuáles no.

— Directivos que viajarían por todo el mundo para ayudar a poner en práctica el plan de colaboración.

FUENTE: Caso Wetteren-Lloveras, Llamazares, Parés y Renart (IESE, 1991).

— *Interdependencia*. Durante el proceso de negociación las posiciones que va adoptando cada una de las partes afectan a la otra y, por tanto, existe una interdependencia. Las posturas de cada una de las partes no son firmes e inflexibles, van transformándose a medida que avanza la negociación en base a los movimientos de la parte contraria. Incluso las primeras propuestas que se ponen encima de la mesa de negociaciones deberán tener en cuenta la postura y posibles movimientos y maniobras de los oponentes, así como la predisposición para llegar a un acuerdo.

Ejemplo:

Si ofrezco a Y un precio elevado, puede pedir a cambio una ampliación del plazo de pago, recibir gratis el servicio posventa, no participar en los gastos de promoción o incluso abandonar la negociación. En el primer caso siempre podríamos alargar el plazo treinta días más; el servicio posventa podría ser demasiado costoso para llevarlo a cabo directamente nosotros; en cuanto a los gastos de promoción, deberíamos pedir más detalles. El abandono sería malo para nosotros, pero también para ellos.

— *Predisposición para llegar a un acuerdo.* El deseo de alcanzar un acuerdo revela el espíritu de cooperación que debe inspirar toda negociación. A lo largo de la negociación se va renunciando a aspectos de menor valor a cambio de algo más valioso. No es suficiente tener unos buenos conocimientos, sino que hay que interactuar, persuadir y comunicarse con otros.

— *Ser creativo para aportar nuevos recursos que incrementen el valor de lo negociable.* Cuando se alcanza un acuerdo, los recursos se han distribuido entre las partes, pero la cantidad de recursos disponibles no es fija. Se trata de recibir y de dar, y de ser suficientemente creativo para incrementar los recursos a repartir.

Ejemplo:

Nos hemos centrado en discutir el precio, pero también podemos discutir sobre la cesión del derecho de utilización de nuestras marcas. Creemos que es un tema que no hemos tocado y puede resultar de su interés.

1.2.
El concepto de margen de negociación

Cada una de las partes que interviene en una negociación intentará acercar posiciones dentro de lo que se denomina el margen de negociación. Este margen está delimitado por la posición común entre las dos partes enfrentadas. En el ejemplo siguiente se muestra de forma gráfica este concepto. Se expone el margen de negociación entre un importador y un exportador sobre un asunto concreto: el precio en un momento determinado de la negociación. Se observa cómo cada parte tiene dos posiciones extremas: la posición óptima (PO), que es la más favorable y sería la elegida si se pudiera decidir libremente, y la posición de ruptura (PR), que sería aquella a partir de la cual se prefiere romper la negociación antes que aceptar el acuerdo.

	Importador	**Exportador**
Posición óptima (PO)	2.500 €	7.000 €
Posición de ruptura (PR)	5.000 €	3.500 €

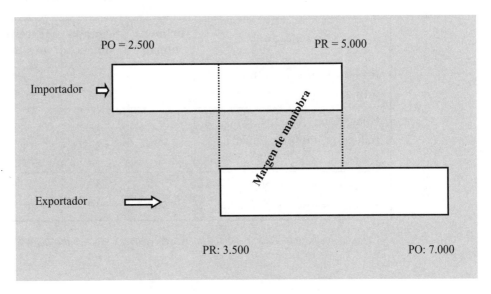

Figura 1.1.　El margen de negociación.

El intervalo dentro del cual negocia cada una de las partes es el que va desde su postura óptima (PO) hasta el punto de ruptura (PR). Ambas posiciones se solapan en un intervalo que coincide con el margen de maniobra sobre el que discurrirá la negociación. El acuerdo se alcanzará en cualquier punto dentro de dicho intervalo, acercándose más a una postura u otra en función del poder relativo de las partes y sus habilidades negociadoras.

Existe *un margen de negociación* para cada uno de los asuntos que se vayan a negociar. Por otro lado, este margen es dinámico. Los extremos de cada postura van variando a medida que se avanza en el proceso de negociación. Si la negociación va progresando por buen camino, el intervalo que ocupa el margen va estrechándose hasta el acuerdo final.

La amplitud del margen y la forma de acercarse a la posición de la parte contraria son diferentes según la cultura y las prácticas de cada país. En el cuadro 1.2 se expone el punto de partida sobre el margen de negociación y las concesiones o movimientos posteriores en diferentes países.

CUADRO 1.2

El margen de negociación en diferentes países
(porcentajes sobre el total de concesiones que se realizan en una negociación)

Países	Primera oferta	Segunda oferta	Tercera oferta	Acuerdo final
Estados Unidos, Suráfrica y Brasil	0	0	0	100
Hong Kong, Singapur, Malasia, Indonesia, Filipinas, India y Kenia	10	20	30	40
Canadá, Australia, Nueva Zelanda, Taiwan y Tailandia	40	30	20	10

FUENTE: Adaptado de D. W. Hendon, *Cómo hacer negocios en cualquier parte del mundo.*

1.3.
Diferencias entre negociación nacional e internacional

La negociación internacional se desarrolla con unos planteamientos, procesos, estrategias y tácticas relativamente similares a las utilizadas en la negociación desarrollada dentro de un mismo mercado. Además, unas y otras tienden a parecerse cada vez más a medida que aumenta el nivel de globalización de los mercados y de las empresas. Sin embargo, existen ciertas diferencias entre ambos tipos de negociación, entre las cuales cabe destacar:

— En primer lugar, en la negociación internacional las partes deben negociar sobre un marco regulatorio y político distinto. Las leyes, políticas, sistemas fiscales, etc., no suelen coincidir en los distintos países, sino más bien al contrario, y este hecho puede impedir, retrasar o condicionar el proceso negociador. En la negociación nacional el marco regulatorio es el mismo y, además, las partes se sienten más cómodas, ya que es conocido por ambas y están acostumbradas a negociar dentro de ese ámbito legal.

— La negociación internacional es más vulnerable a cambios repentinos y drásticos en las circunstancias del país en el que se va a realizar el negocio, especialmente si se trata de mercados emergentes en los que existe un riesgo-país elevado. Eventos tales como crisis políticas, revoluciones, guerras, catástrofes naturales, etc., tienen un impacto muy superior para el negociador extranjero en comparación con los sucesos que pueden acontecer en el mercado nacional.

— Los factores culturales influirán de forma determinante en todo el proceso de negociación. Además de la lengua, la distinta percepción de los valores, aptitudes y filosofías puede convertirse en una auténtica barrera para avanzar en el desarrollo de la negociación internacional. Por ejemplo, los norteamericanos y los japoneses tienen una visión distinta de cuál es el propósito de una negociación. Para los primeros el objetivo final es alcanzar un acuerdo mediante un contrato que especifique los derechos y las obligaciones de cada parte; para los japoneses, el propósito final es crear una relación entre las dos partes: el contrato escrito no es más que una simple expresión de dicha relación.

— Cuando se negocia internacionalmente, se suele hacer en distintas monedas. Esto conlleva dos riesgos. El primero es el riesgo de cambio que se produce por las posibles oscilaciones de las divisas desde el momento en que se produce el acuerdo hasta que se materializa el pago. El segundo es el llamado *riesgo de transferencia,* que puede surgir ante la dificultad para convertir la moneda local en moneda fuerte (dólares o euros) con objeto de repatriar los pagos o los beneficios que se han producido en el país extranjero.

© Ediciones Pirámide

— Otro aspecto diferenciador de la negociación internacional es la percepción de una serie de tópicos acerca del comportamiento de cada una de las partes respecto a la otra por el hecho de pertenecer a una determinada nacionalidad, grupo étnico o cultura. Es lo que se llaman estereotipos, que condicionan la forma, el estilo y estrategia inicial de la negociación, algo que no está presente en la negociación nacional. Así, por ejemplo, cuando se va a negociar con norteamericanos esperamos de su parte concreción, cierta agresividad y sentido práctico; si se trata de negociar con japoneses, esperaremos de ellos que sean pacientes, lentos y persistentes; de los holandeses tendremos muy presente su sentido comercial y directo; de los ingleses no nos extrañará un comportamiento un tanto excéntrico y el uso del sentido del humor; de los franceses, un cierto aire de superioridad, etc. Todos estos tópicos acerca de los distintos países condicionan nuestro estilo negociador.

— Por último, la empresa que tiene intención de vender o invertir en otro país suele despertar suspicacias por el mero hecho de ser extranjera. Se trata de un sentimiento latente que existe en los países más pobres. Generalmente, el nivel de rechazo hacia lo exterior es inversamente proporcional al grado de desarrollo económico del país del cual proceden las importaciones o las inversiones. La frase «inversión, no inversores» se utiliza de forma creciente en los países en vías de desarrollo.

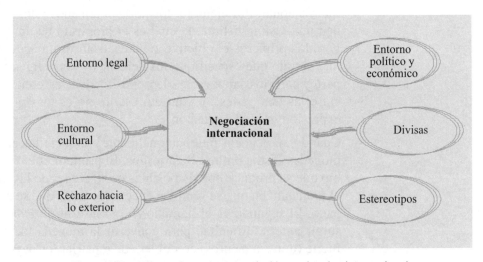

Figura 1.2.   Diferencias entre negociación nacional e internacional.

1.4.
Tipos de negociaciones

En base a la actitud que toman las partes se pueden identificar cinco tipos o formas de negociar: negociaciones de confrontación, subordinación, inacción, colaborativas y razonadas. Lo habitual no es adoptar un solo tipo de negociación, sino que a lo largo del proceso se vaya intercalando más de una de ellas. El tipo de negociación dependerá fundamentalmente del poder de negociación de cada parte en cada uno de los temas y aspectos a discutir y también de la personalidad de los negociadores que intervienen.

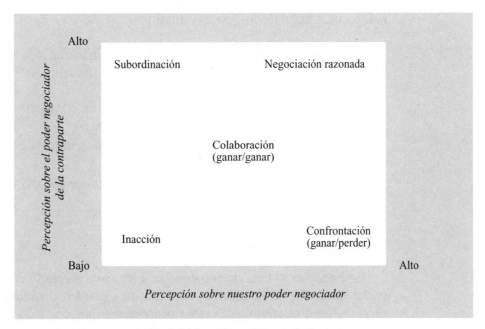

Figura 1.3.   Tipos de negociaciones.

1.4.1.   La negociación con confrontación

Se trata de una negociación donde la condición que impera es la del tipo «ganador/perdedor»; se entiende que todo lo que gana uno lo pierde el otro. Desde esta perspectiva, toda concesión que se haga a la contraparte se considera una debilidad. Es una forma de negociar en la que se guarda información, se oculta la posición propia y no se cede, manteniéndose en la posición de partida. También se conoce con el nombre de *negociación distributiva*. Es habitual adoptar esta postura cuando:

— Se está en una posición de fuerza con respecto a la contraparte.
— Se discute un asunto de suma importancia para nosotros y de poca para la parte contraria.
— Se decide adoptar una posición inflexible en un momento determinado, ya que no afectará de forma crítica a la relación a largo plazo.
— Disponemos de poco tiempo para resolver un determinado conflicto.

1.4.2. La negociación subordinada

Esta forma de negociar consiste en subordinar nuestros intereses a los de la contraparte. Es habitual en las siguientes situaciones:

— Estamos en un callejón sin salida o en un conflicto del que queremos salir con cierta urgencia.
— La contraparte no puede realizar una determinada concesión, pero nosotros sí.
— El poder negociador de la contraparte es superior al nuestro.

1.4.3. La negociación con inacción

En este caso se trata de no negociar. Llegado a un punto en el que parece existir un conflicto insalvable, ambas partes pueden decidir apartar de la negociación un determinado tema o aplazar su negociación para una fase posterior. Este tipo de negociación es apropiada cuando:

— El tema o asunto a evitar no es importante.
— La relación entre las partes es crucial.
— Ninguna de las partes está en disposición de adaptarse a la otra.
— Las diferencias son innegociables.
— De persistir la negociación sobre ese tema, las relaciones entre las partes pueden verse afectadas muy negativamente.

1.4.4. La negociación colaborativa

En las negociaciones internacionales que se resuelven con éxito, gran parte del proceso negociador discurre bajo la forma de la negociación creativa. Las partes no limitan la negociación a una serie de asientos predeterminados, sino que aportan nuevas soluciones y propuestas que dan mayor valor al reparto. Existe un gran interés en alcanzar un acuerdo justo y positivo para ambas partes. Es una negociación del tipo «ganador/ganador».

Este tipo de negociación, llamada también *integrativa,* necesita de un intercambio de información importante como base de la colaboración. Implica un alto grado de confianza entre las partes, lo que en ocasiones y a priori puede resultar difícil de lograr en negociaciones internacionales sometidas a grandes diferencias culturales.

La negociación colaborativa es especialmente adecuada:

— Cuando ambas partes deben actuar más como colaboradores que como competidores.
— Cuando existe reciprocidad equitativa en cuanto a propuestas y contrapropuestas.
— Cuando priman los acuerdos sobre objetivos; por ejemplo, descuentos sobre precios si se alcanza determinado volumen de compra.
— En las relaciones de tipo comercial, donde el acuerdo no debe acabar en ganadores y perdedores, ya que se trata de mantener una continuidad.

1.4.5. La negociación razonada

Con la negociación razonada se busca la solución de cuestiones de fondo sobre las que existen diferencias apreciables, más que la obtención de concesiones de la contraparte. El hecho de que el poder negociador de ambas partes sea elevado provoca un tipo de discusión más objetiva que el que se da en otro tipo de negociaciones donde abundan más las tácticas de tipo persuasivo. Las diferencias se resuelven recurriendo a criterios objetivos (legales, científicos, relativos a usos y costumbres del sector, utilizando expertos ajenos, etc.).

La negociación razonada tiene lugar cuando las partes:

— Se centran en los intereses reales y concretos, y no en el juego de posiciones.

— Buscan soluciones para el beneficio común.

— Examinan el problema desde puntos de vista diferentes.

— Están abiertas y son creativas en las propuestas que realizan.

1.5.
El equipo negociador

En las negociaciones de menor importancia (una venta puntual, contratar con una organización ferial la mejor ubicación del *stand* para una feria, etc.) interviene una sola persona de cada parte. En negociaciones de más trascendencia o complejidad (por ejemplo, la negociación de una *joint-venture* o un acuerdo de transferencia de tecnología) es más habitual que cada parte esté representada por un grupo de personas que constituyen el equipo negociador.

Las características que debe tener un buen equipo negociador son las siguientes:

— El número de personas que componen el equipo debe ser lo más reducido posible.

Las razones más evidentes son tres: en primer lugar, porque los gastos que generan los desplazamientos son elevados. Los gastos que conlleva cualquier viaje: billetes de avión, alquiler de coches, hoteles, taxis, comidas, gastos de teléfono, etc., habrá que multiplicarlos por cada uno de los componentes que forman parte del equipo. En segundo lugar, porque cuanto menor sea el número de personas que forman el equipo, menores serán los problemas de coordinación de agendas y mayor será la flexibilidad para poder llevar a cabo cualquier cambio de última hora (de fechas, lugares, etc.) sobre lo previsto. Por último, hay que tener en cuenta que los negociadores son empleados de la empresa con unas tareas y responsabilidades, que dejan de desarrollar cuando dedican su tiempo a negociar.

— El equipo debe desarrollar tres funciones básicas: dirigir, sintetizar y observar.

Lo más eficaz es que, al menos, para cada una de estas tareas exista un responsable. Cuando se actúa solo se tendrán que asumir las tres funciones, y cuando el equipo se componga sólo de dos personas, es aconsejable que el que se encargue de la labor de sintetizar realice también las funciones de «observador».

El «dirigente» es la persona que lleva las riendas de la negociación, quien discute cara a cara con la parte contraria, hace propuestas, comunica los argumentos, realiza las concesiones, etc. No necesariamente es la persona de mayor categoría profesional del equipo. De hecho, esta composición del equipo se puede utilizar estratégicamente para salvar situaciones de punto muerto, interviniendo entonces la persona de mayor nivel jerárquico. De esta forma se evita el peligro de que la contraparte no quiera negociar con un dirigente poco autorizado.

La labor del «sintetizador» es resumir los temas y acuerdos que se van presentando, formular preguntas, aclarar cuestiones y encarrilar las conversaciones cuando el dirigente se sienta cansado, perdido o acosado por la otra parte. El sintetizador debe estar permanentemente en alerta para advertir cuándo el dirigente se encuentra en dificultades y entonces interceder en su ayuda. También tiene la misión de intervenir para comunicar detalles que se hayan pasado por alto. Un buen equipo negociador debe utilizar con frecuencia al sintetizador.

El observador tiene la tarea de escuchar, registrar, captar matices y señales que ofrezcan pistas sobre la actuación, postura y objetivos reales de la contraparte.

— Complementariedad. El equipo negociador debe estar compuesto por personas que se complementen en conocimientos, experiencia y habilidades personales de forma que se cree un grupo completo y eficiente. El punto débil de uno de los miembros debe compensarse con la fortaleza de otro. En este sentido es más apropiado el tipo de persona generalista que el especialista, a no ser que sea estrictamente necesario, o la negociación se encuentre en una fase en que se requiere la participación de personas con conocimientos técnicos muy concretos.

— Frente único. El equipo debe ser compacto, debe proyectar en el oponente una imagen de cohesión. Es necesario que exista un acuerdo previo y claro para todos los componentes sobre el estilo de negociación que se va a desarrollar, los asuntos a tratar, los objetivos que se pretende alcanzar, las tácticas que se quiere utilizar, etc.

— El equipo negociador de la contraparte. Es importante conocer las habilidades, perfiles, cargos y capacidad de decisión de las personas del equipo contrario, aunque en ciertos países resulte algo tremendamente difícil de averiguar con cierta exactitud. El número y la composición de personas que forman parte del equipo contrario condicionarán el perfil del equipo propio.

— Los intérpretes. A no ser que el equipo negociador domine absolutamente la lengua en la que se desarrolla la negociación, habrá de contratarse a un intérprete. Su aportación es crucial. Debemos asegurarnos de que no realiza una traducción excesivamente literal, sino adaptada a los giros y cultura de la contraparte, que informa correctamente y que no pasa por alto ninguna cuestión que se discuta en la mesa de negociaciones. Aunque, en principio, es más aconsejable contratar a intérpretes de la misma nacionalidad que la contraparte, para negociaciones complejas y largas hay que valorar si esta circunstancia puede provocar en el intérprete cierto favoritismo hacia sus compatriotas.

CUADRO 1.3

Pautas para negociar a través de intérpretes

➤ El intérprete debe dominar ambas lenguas.

➤ Es aconsejable que el intérprete sea de la misma nacionalidad que la contraparte (valorar posibles favoritismos).

➤ No aceptar ningún intérprete propuesto por la contraparte.

➤ En negociaciones importantes, cada parte debe tener su propio intérprete.

➤ Hacer que el intérprete se sienta miembro del equipo negociador que lo ha contratado.

➤ Repasar previamente con el intérprete las palabras más técnicas o del argot propio del sector.

➤ Utilizar frases breves (no más de 30 segundos de duración) e interrumpir con la suficiente frecuencia para dar tiempo a la traducción.

➤ Cuando se hable de cifras, es aconsejable escribirlas.

➤ Mostrar respeto al intérprete.

➤ Mirar a la contraparte cuando hable y también cuando se está haciendo la traducción. Mantener contactos visuales ocasionales con el intérprete.

➤ En negociaciones largas, conceder descanso al intérprete cada 45 minutos.

1.6.
Perfil del negociador internacional eficaz

¿Cuáles son las características que definen a un buen negociador internacional? En síntesis podría decirse que es una combinación de condiciones innatas y de experiencias adquiridas en la práctica profesional. En cualquier caso, la gran mayoría de cualidades que debe reunir un negociador internacional eficaz pueden aprenderse y perfeccionarse en el propio desarrollo de la actividad negociadora.

Para identificar las características más importantes realizamos una encuesta a cien directivos y ejecutivos con experiencia en mercados exteriores. A partir de la selección de veinte características que debe reunir un buen negociador internacional (véase cuadro 1.4) se les pidió que eligieran las diez que consideran más relevantes.

CUADRO 1.4

Cuestionario sobre el perfil del negociador internacional

Características	Elegir 10	Sí/No
Tener seguridad en uno mismo		
Capacidad para desarrollar relaciones con personas de otras culturas		
Tener claros los objetivos que se persiguen en la negociación		
Flexibilidad para introducir modificaciones sobre las propuestas iniciales		
Ser paciente durante todo el proceso negociador		
Soportar bien la ambigüedad e incertidumbre generada por la otra parte		
Tolerancia sobre las opiniones y puntos de vista de la otra parte		
Capacidad para expresar verbalmente ideas y argumentos		
Usar el sentido del humor para crear un clima cordial		

CUADRO 1.4   *(continuación)*

Características	Elegir 10	Sí/No
Analizar y tener en cuenta los posibles objetivos de la otra parte		
Saber escuchar y valorar la información que transmite la otra parte		
Pensar y actuar con rapidez en situaciones imprevistas o nuevas		
Ser perseverante y decidido en las relaciones que se establecen		
Conocimiento de la materia sobre la que se negocia		
Conocer el proceso de toma de decisiones en cada país		
Saber preparar y planificar la negociación		
Estar dispuesto a asumir riesgos		
Conocer las costumbres y usos sociales de los países que se visitan		
Adaptarse al ritmo de negociación del país en que se negocia		
Saber retirarse a tiempo		

Nota: Antes de pasar la página y leer los resultados, elija las diez características que usted considera más importantes (columna del centro), y en las veinte que se proponen marque en la columna de la derecha si usted posee o no esa cualidad.

Los resultados que se obtuvieron de la encuesta (véase cuadro 1.5) permiten conformar el perfil del negociador internacional eficaz en base a las siguientes características, ordenadas de mayor a menor número de respuestas:

— Tener claros los objetivos que se persiguen.

En primer lugar es necesario acudir a una negociación con unos objetivos claros sobre lo que se desea conseguir. Al establecerlos se están fijando los criterios para valorar el éxito o fracaso de la negociación. Si no se tienen objetivos claros, la otra parte percibirá la debilidad de nuestra postura y reforzará sus argumentos y peticiones. Los objetivos de partida se van modificando a lo largo de la negociación, por lo que será necesario revisarlos de forma continuada.

CUADRO 1.5

Principales características del negociador internacional eficaz

Características	Porcentaje respuestas
Tener claros los objetivos que se persiguen en la negociación	94
Saber preparar y planificar la negociación	90
Conocimiento de la materia sobre la que se negocia	89
Capacidad para desarrollar relaciones con personas de otras culturas	83
Analizar y tener en cuenta los posibles objetivos de la otra parte	80
Saber escuchar y valorar la información que transmite la otra parte	75
Soportar bien la ambigüedad e incertidumbre generada por la otra parte	67
Ser paciente durante todo el proceso de negociación	64
Conocer el proceso de toma de decisiones en cada país	61
Conocer las costumbres y usos sociales de los países que se visitan	58

FUENTE: Encuesta realizada a cien directivos y ejecutivos con experiencia internacional.

— Saber preparar y planificar la negociación.

Antes de sentarse a negociar es necesario preparar una estrategia negociadora que se centre, básicamente, en dos aspectos: obtener información de utilidad para negociar y establecer las etapas en las que se va a desarrollar la negociación. Para cada una de las fases se trata de definir los argumentos que se van a utilizar y las concesiones que se está dispuesto a hacer.

— Conocimiento de la materia sobre la que se negocia.

El negociador internacional debe aglutinar un doble conocimiento: técnico y comercial. El primero tiene que ver con las características del producto o servicio que está negociando; lógicamente, cuanto más complejo sea éste, mayor será la formación que debe poseer. El conocimiento comercial se refiere tanto a las condiciones del mercado (sobre todo la oferta de la competencia) como a las técnicas de comercio internacional (medios de pago, incoterms, logística, contratación, cobertura de riesgos, etc.) que se van a utilizar para negociar la operación.

— Capacidad para desarrollar relaciones con personas de otras culturas.

La facilidad para contactar a nivel personal con personas de otras culturas es esencial para el éxito en los negocios internacionales. Un buen negociador dedica tiempo a los actos sociales y las relaciones humanas para crear una relación de confianza con la otra parte. Se esfuerza por pertenecer al «círculo interior», normalmente cerrado a los extranjeros. Por otra parte, si se consigue entrar en ese círculo se detectarán otras oportunidades de negocio.

— Analizar y tener en cuenta los posibles objetivos de la otra parte.

Al igual que se realiza una lista con nuestros objetivos, también hay que valorar los de la otra parte. Inicialmente se trata de estimar sus prioridades en base a la experiencia que se ha adquirido en negociaciones similares. Cuando se avance en la negociación se irá obteniendo información que permita valorar con mayor precisión los objetivos que persigue la otra parte.

— Saber escuchar y valorar la información que transmite la otra parte.

Para perfilar la estrategia negociadora es esencial obtener información de la otra parte, y qué mejor fuente, si se interpreta bien, que ella misma. En este sentido, tiene ventaja el negociador internacional que entiende «el lenguaje corporal», ya que la comunicación no verbal es la forma más natural que tienen los negociadores de expresar sus reacciones más espontáneas y auténticas, sobre todo en las llamadas culturas de «alto contexto» (asiática, latina, africana).

— Soportar bien la ambigüedad e incertidumbre generada por la otra parte.

En los negocios internacionales es corriente encontrarse con personas que dejan poco margen para traslucir sus opiniones. Parte de la dificultad para tratar con estas personas se debe al desconocimiento sobre la forma en que verbalizan y expresan sus ideas. En este tipo de situaciones, el negociador internacional deberá soportar la presión hasta que la otra parte decida proporcionarle la información necesaria.

— Ser paciente durante todo el proceso de negociación.

Igual de importante que soportar la ambigüedad es la paciencia que debe mostrarse durante todo el proceso de negociación, desde la primera etapa —en las dificultades que pueden encontrarse para conseguir una cita con la otra parte— hasta los retrasos en las reuniones, la argumentación con diferentes personas de la otra parte y, sobre todo, el tiempo de espera que transcurre hasta la decisión final. En cualquiera de estas circunstancias u otras similares no debe perderse la calma, ya que denotaría una debilidad y perjudicaría el resultado de la negociación.

— Conocer el proceso de toma de decisiones en cada país.

La forma en que se toman las decisiones varía mucho de un país a otro. Incluso en el mundo occidental existen grandes diferencias, desde el individualismo propio de Estados Unidos hasta las estructuras centralizadas en Francia o el sistema de consenso habitual en Holanda. En los países menos desarrollados la autoridad tiende a residir más en la persona que en el puesto que ocupa.

— Conocer las costumbres y usos sociales de los países que se visitan.

La globalización no ha acabado, ni lo va a hacer en un futuro próximo, con las diferencias en el trato social propio de cada país. Una forma de adaptarse al país que se visita es aprender algunas palabras de su idioma y de sus costumbres en cuanto a formas de saludo, presentaciones, horarios, comportamiento durante las comidas, regalos, etc. Con ello, además de causar buena impresión a nuestros interlocutores, se facilitará el desarrollo de una relación personal.

¿Coincidió su elección con los resultados de la encuesta? De las diez características que más se valoraron, ¿cuántas posee usted? ¿Y del resto? En cualquier caso, no se preocupe demasiado: la mayoría de la gente está capacitada para adquirir las cualidades que son necesarias para negociar con éxito en los mercados internacionales; la experiencia contribuirá a mejorarlas.

2. El proceso de negociación internacional

Objetivos del capítulo:

1. Desarrollar las distintas fases por las que atraviesa una negociación internacional.

2. Indicar qué aspectos deben prepararse antes de que comience la negociación propiamente dicha.

3. Establecer un sistema para fijar objetivos en negociaciones internacionales.

4. Saber cómo deben comportarse las partes en el primer encuentro de la negociación

5. Explicar el proceso de intercambio de información y el ajuste de posiciones.

6. Determinar las condiciones que hacen posible concluir una negociación con éxito.

2.1.
Fases

El objetivo de cualquier proceso negociador es provocar un acercamiento entre las posiciones iniciales de cada parte hasta llegar al acuerdo final. Este proceso se desarrolla a lo largo de una serie de fases, iniciándose con una primera toma de contacto, siguiendo con la preparación, el desarrollo de la negociación y concluyendo en un acuerdo (o sin acuerdo). Cada fase, a su vez, se descompone en una serie de subfases o etapas (véase la figura 2.1).

El tiempo, la dedicación y el esfuerzo que se emplea en cada una de las fases varían en cada negociación. Incluso el orden no tiene por qué ser siempre estrictamente el mismo. Habrá negociaciones que primero se preparen y luego se proceda a tomar contacto con la contraparte; otras pueden comenzar por un acuerdo alcanzado en una negociación previa y a continuación iniciar un debate o intercambio sobre temas que han quedado pendientes.

Lo importante es que el negociador sea consciente de la fase en la que se encuentran las conversaciones dentro del proceso negociador. Cada una de ellas persigue unos objetivos y ayuda a avanzar en el proceso con el fin último de alcanzar un pacto beneficioso para las partes que intervienen.

El comportamiento del negociador varía a lo largo del proceso. No es la misma conducta la que se adopta durante el encuentro que, por ejemplo, la que se mantiene durante la etapa de posiciones iniciales y propuestas, la de intercambio o la de ajuste de posiciones. En la figura 2.2 se exponen las pautas de comportamiento más eficaces en cada una de las etapas que conforman una negociación internacional.

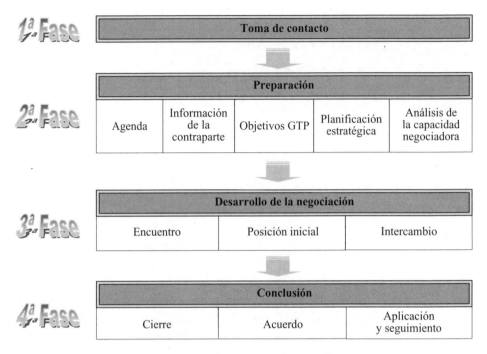

Figura 2.1.   El proceso negociador y sus fases.

2.2.
La toma de contacto

Las negociaciones internacionales entre empresas comienzan, generalmente, por la toma de contacto con aquellos que, previsiblemente, serán los interlocutores. En función de lo que quiera negociarse se habrá de contactar con fabricantes, agentes, distribuidores, posibles socios para constituir una sociedad mixta, licenciatarios, etc. Pero ¿cómo se ha de realizar esta primera toma de contacto? Los aspectos culturales y la importancia de las relaciones sociales en cada país marcan la pauta de cómo hacerlo.

En Norteamérica la llamada o el primer contacto «en frío» es una práctica habitual y aceptada. Para dirigirse a posibles compradores, basta con conseguir un buen listado de nombres y direcciones y tomar contacto sin más. En otros mercados (Asia, América Latina, países árabes) será muy importante conseguir una relación personal antes de empezar cualquier tipo de negocia-

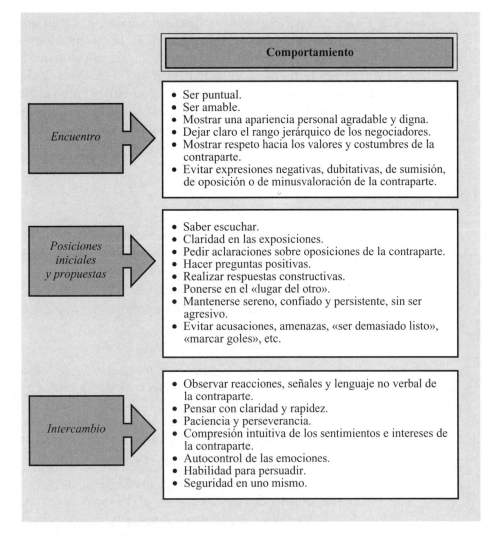

Figura 2.2. Reglas de comportamiento durante el desarrollo de la negociación.

ción, y la toma de contacto se facilitará si se conoce a alguien del entorno de la persona o el grupo que se quiere contactar. En algunos mercados incluso el regalo o la gratificación serán práctica habitual para conseguir un primer contacto con una empresa local. Lógicamente cuanto mayor es la necesidad de establecimiento de vínculos sociales, más tiempo llevará la realización de esta primera fase de la negociación.

Otra cuestión importante es llegar a conocer quiénes son las personas que deciden dentro de una organización, algo que no siempre resulta sencillo. En ciertos países, como en Estados Unidos, el cargo nos indica quién decide y sobre qué asuntos. En este sentido, la información es transparente. En otros, donde la autoridad está más ligada al individuo que al cargo, resulta difícil desde fuera saber quién tiene autoridad para decidir. Incluso en ciertos países, como es el caso de China, se utiliza como táctica de negociación precisamente confundir al oponente sobre la posición que ocupa cada componente del equipo negociador, resultando casi imposible llegar a saber exactamente quién toma cada una de las decisiones.

CUADRO 2.1

La toma de contacto en distintas áreas geográficas

Norteamérica	— No son imprescindibles las relaciones sociales. — Se puede efectuar el primer contacto «en frío». — Lo importante no son las relaciones personales, sino «aquello» que se va a negociar. — La fase de toma de contacto es rápida.
Europa del Norte y del Centro	— No funciona el contacto en frío. Las relaciones con extraños son cerradas y es necesario dedicar tiempo y esfuerzo en la toma de contacto. — Se habrán de utilizar varias vías de introducción: personas locales, cartas de recomendación, cartas de introducción, etc. — Gran importancia de estatus social.
Europa Mediterránea	— Es importante saber quién toma las decisiones, algo difícil, ya que la autoridad está más ligada al individuo que al cargo. — La autoridad está muy jerarquizada. — La burocracia y las autoridades públicas intervienen a menudo en las negociaciones. — Para la toma de contacto es aconsejable ir de la mano de alguien con representatividad.
América Latina	— El poder económico/empresarial suele estar en manos de grupos familiares. — Necesidad de desarrollar contactos personales con personas influyentes que sirvan de puerta de entrada para la toma de contacto. — La toma de contacto para las culturas no latinas constituye una tarea difícil.

CUADRO 2.1 *(continuación)*

Países árabes	— Importancia de la unidad familiar en las relaciones sociales. — La toma de decisiones está muy centralizada en el jefe de la unidad familiar, clan, etc. — La cortesía y la hospitalidad son más importantes que la utilización efectiva del tiempo.
China	— Gran parte de las negociaciones se realizarán con funcionarios de empresas públicas o de la Administración del Estado. — Muy importantes los contactos personales *(quanxi)* que hagan de presentadores de la contraparte. — No todos los chinos tienen buenos contactos, aunque lo aparenten.
Japón	— La etapa más importante en el proceso de negociación con los japoneses es la toma de contacto. Implica dedicarle esfuerzos y tiempo. — Es clave saber elegir las personas adecuadas. — Se necesita una persona que sirva de introductor. — Para encontrar al «introductor» se pueden utilizar dos vías: organismos oficiales como el JETRO o amigos/conocidos introducidos en el mercado. — Al extranjero, aunque conozca el idioma, siempre se le considera alguien de fuera, que muy difícilmente podrá ser admitido dentro de la cultura japonesa.

El primer contacto de CEAC con su socio en China

CEAC, empresa española de cursos a distancia, creó en 1996 una *joint-venture* en China con una empresa estatal. ¿Cómo fue la toma de contacto? Como veremos a continuación: larga, laboriosa y fundamentada en las relaciones personales.

CEAC encargó a un consultor de Barcelona, que conocía muy bien el mercado chino, la localización de posibles socios en China para desarrollar el proyecto CEAC en ese mercado. El consultor tomó contacto primero con centros de enseñanza media y universidades, pero con poco éxito. La mayoría de los interlocutores eran académicos que veían las actividades mercantiles con poca simpatía. Casualmente, a través de un amigo que era traductor, localizaron a una empresa pública china que podía tener el perfil adecuado para el proyecto de CEAC. El traductor le presentó a algunos directivos de dicha empresa. Los primeros contactos resultaron decepcionantes. La empresa china no mostraba interés alguno. Pero en reuniones posteriores uno de ellos, el señor Zheng Mou Da, mostró interés por el proyecto. Este directivo se expresaba en un perfecto castellano y su interés inicial, como confesó más adelante, se centró en el «placer» de hablar un rato en español. Durante seis meses el consultor visitaría a Zheng Mou Da un promedio de dos o tres veces al mes, simplemente para ir estableciendo un vínculo más personal y una relación de mayor confianza. Tras este período, el consejero delegado de CEAC y el director de actividades internacionales se desplazaron a Beijing, donde mantuvieron varias reuniones con Zheng. De nuevo el objetivo de estos contactos era consolidar la relación personal que había logrado establecer el consultor. A los dos meses de estos encuentros, CEAC invitó a Zheng Mou Da a Barcelona, sede de CEAC, para mostrarle sus instalaciones y el funcionamiento de la empresa. Dada la importancia que los chinos conceden al hecho de estar bien relacionados y tener buenos contactos, los directivos de CEAC organizaron con su socio potencial chino un encuentro con el presidente del Parlament de Catalunya y una cena con el cónsul de China en Barcelona.

A partir de ese momento se iniciaron las conversaciones para llegar a un posible acuerdo de colaboración en el mercado chino.

Fuente: Resumido y adaptado del caso CEAC en China (IESE, 1999).

2.3.
La preparación

Habitualmente, el negociador poco experimentado se inclina a pensar que el éxito de una negociación se basa en cuestiones tales como la capacidad de persuasión, la rapidez de respuesta, las maniobras y movimientos inteligentes, la facilidad de palabra y la elocuencia. Evidentemente todas esas habilidades favorecen a la parte que mejor las aplica. Sin embargo, la base prioritaria del éxito en una negociación reside en la fase previa al proceso interactivo entre las partes, es decir, la preparación.

La mayoría de los directivos de las empresas se inclinan más por la acción que por el análisis y la planificación. Las limitaciones de tiempo y las tareas del día a día tampoco facilitan este tipo de trabajo, para muchos pesado y tedioso. No obstante, la obtención de información relevante sobre la contraparte y el entorno, la delimitación de los asuntos a tratar, los objetivos a alcanzar, la forma en la que se va a negociar y los argumentos que se van a exponer sobre la mesa de negociación constituyen parte de un trabajo clave para poder negociar mejor. Esta tarea es, si cabe, aún más importante para negociar en mercados exteriores, donde el desconocimiento y las incertidumbres siempre serán mayores que cuando se negocia en el propio país.

A continuación se describen las actividades propias en la preparación de una negociación internacional.

2.3.1. La agenda: lista de asuntos a tratar

En un primer momento se trata de delimitar los temas que se van a tratar durante el proceso de la negociación, tanto los asuntos principales como los colaterales.

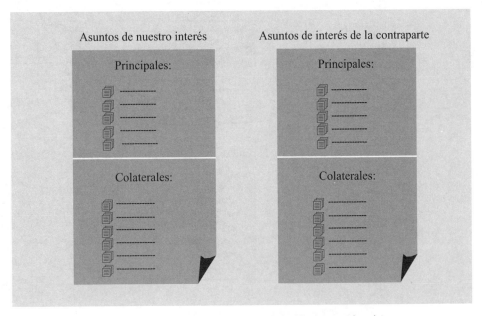

Figura 2.3. Agenda de una negociación internacional.

En una negociación para cerrar un contrato de venta a una cadena de distribución en un mercado exterior habrá que discutir temas clave como el precio, pero también otras cuestiones objeto de negociación serán: los plazos y condiciones de entrega, los plazos y condiciones de pago, la divisa, la forma de resolver los conflictos, etc. La lista conviene que sea exhaustiva para prever de antemano cualquier asunto que pueda surgir durante la negociación. Se deben incluir tanto los asuntos que interesa discutir o utilizar en la negociación como aquellos que interesan a la contraparte y que previsiblemente se van a plantear en el transcurso de la negociación.

2.3.2. Información previa

Cuanta mayor y más exacta sea la información de la que disponemos, mayor será nuestro poder negociador. Contar con un mayor conocimiento sobre la parte contraria obviamente beneficia la capacidad negociadora, pero también aporta una mayor credibilidad ante nuestro interlocutor, al demostrar que se dispone de suficiente información sobre los productos, la situación del mercado, normativas, prácticas comerciales, etc.

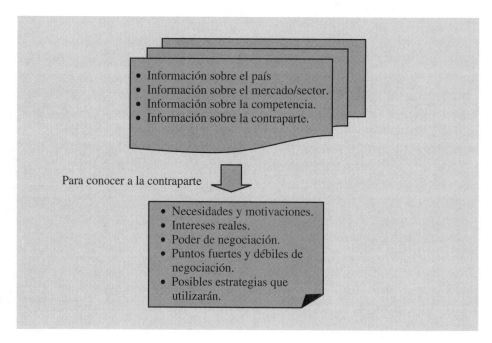

Figura 2.4.   Información previa al inicio de la negociación internacional.

Antes de comenzar la fase de negociación propiamente dicha, es básico ponernos en el lugar del otro. ¿Qué tipo de información nos interesa para conocer el punto de vista y la posición de la contraparte? Es importante, por un lado, la obtención de información sobre el país donde se va a realizar la negociación y, por otro, la información sectorial sobre el mercado y la competencia del sector concreto al que pertenece la contraparte. Pero además y esencialmente nos interesa recabar la máxima información posible sobre la empresa o la organización con la que vamos a negociar.

Para obtener información sobre el país es aconsejable acudir a páginas de Internet de instituciones multilaterales o de gobiernos de países desarrollados que suministran gratuitamente informes de países. Al final del libro se facilita un listado de direcciones de Internet útiles en este campo. En cuanto a la información sectorial, cabe la posibilidad de contratar un estudio de mercado a una consultora o adquirir uno ya publicado. También puede realizarlo la empresa internamente. El fabricante español de caramelos Chupa-Chups, cuando se sienta a negociar con posibles distribuidores extranjeros, presenta un estudio sobre el mercado y el sector incluyendo una posible estrategia de entrada (productos a comercializar, precios, campañas de promoción, etc.). Este análisis no sólo facilita la negociación a Chupa-Chups, sino también refuerza su imagen de empresa ante los distribuidores.

Recabar datos sobre la situación de la competencia, sus ofertas, precios, servicio, etc., es casi imprescindible para las pequeñas y medianas empresas que negocian internacionalmente, ya que gran parte de las ofertas y propuestas que se efectúen a lo largo de la negociación serán comparadas con las de los competidores.

Finalmente, para obtener información sobre la contraparte, existen diferentes fuentes; entre otras, las que se utilizan con mayor asiduidad son las siguientes:

— *Cámaras de comercio, oficinas económicas y comerciales de España en el extranjero, asociaciones empresariales y bancos.* Estos organismos tienen información sobre las empresas que operan en el mercado en el que están ubicadas.

— *Información disponible en Internet.* Estudios de mercado, datos, estadísticas, información y páginas web de empresas.

— *Consultoras especializadas.* Suministran informes comerciales sobre empresas y negocios. En estos informes se facilitan datos sobre fechas de constitución de la empresa, principales cargos directivos, volumen de ventas, exportaciones-importaciones, productos y servicios que comercializan, incidencia de pagos, etc. Una de las consultoras que abarcan mayor número de países es Dun & Bradstreet, que a través de su servicio *on-line* proporciona información sobre más de cincuenta millones de empresas/negocios en todo el mundo.

— *Contactos personales.* Los agentes, distribuidores o colegas que ya operan en el mercado de interés pueden suministrar una información cualitativa de gran utilidad para poder conocer con mayor precisión a la contraparte.

2.3.3. Delimitación y agrupación de objetivos

Nunca se debe participar en una negociación sin tener claro lo que se quiere conseguir. Una vez que se han identificado los asuntos que se van a tratar y se ha recabado información sobre la contraparte, el siguiente paso es fijar los objetivos que se pretenden alcanzar en la negociación.

Los objetivos a alcanzar deben estar presentes a lo largo del sinuoso, complejo y largo proceso negociador. Los avances y los retrocesos, las tácticas, las propuestas, contrapropuestas y, en definitiva, cualquier movimiento deben servir para llegar a cumplir los objetivos.

Estos objetivos deben ser claros, de forma que las personas que van a representar a la empresa los tengan presentes en todo momento. Un negociador que no tiene unos objetivos claros no está en posición de evaluar de manera rápida y exacta las nuevas posibilidades y alternativas que se plantearán durante el proceso negociador. Se sentirá perdido e incapaz de reaccionar con eficacia y agilidad.

Para establecer objetivos y contrastarlos durante el proceso negociador es muy útil el modelo de jerarquización GPT (Gustar, Pretender, Tener) propuesto por los autores G. Kennedy, J. Benson y J. McMillan en su libro *Cómo negociar con éxito.* Se trata simplemente de clasificar los objetivos para cada asunto objeto de negociación por orden de prioridad, de forma que habría tres tipos de objetivos: los objetivos G, los P y los T.

Objetivos G: agrupa los objetivos que nos *Gustaría* alcanzar

Son los objetivos más favorables para nosotros, que coinciden con la posición óptima (PO) del margen de negociación. Dentro de este grupo se recoge una relación completa de todos los objetivos; es decir, los objetivos que deseamos alcanzar y aquellos que son implícitos porque ya los disfrutamos pero deseamos mantener. Unos y otros pueden ser objeto de regateo en la negociación posterior.

Objetivos P: agrupa los objetivos que *Pretendemos* conseguir

Se trata de reducir la lista G, abandonando, reduciendo o limitando los objetivos menos importantes. Por ejemplo, en una negociación de venta los objetivos G de ofertar un precio de 95 e/unidad y un plazo de entrega de 45 días podrían quedar en la lista P de la siguiente manera: el precio se bajaría a 85 €/unidad y el plazo de entrega quedaría fijado en 30 días.

Objetivos T: agrupa los objetivos que *Tenemos* que conseguir

Incluye los objetivos que como mínimo se han de conseguir, limitando o reduciendo los objetivos P. Coincide con la posición de ruptura (PR) del margen de maniobra de negociación. Sin la obtención de estos objetivos no

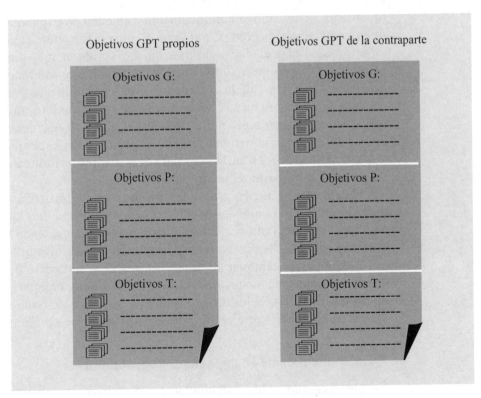

Figura 2.5.   Objetivos GPT: prioridades en la negociación.

merece la pena seguir negociando. Generalmente estos objetivos hacen referencia al precio mínimo al que estaríamos dispuestos a realizar la transacción comercial para que la operación fuera rentable. Ser preciso en la delimitación de este tipo de objetivos resulta a veces difícil. Por ejemplo, ¿nos retiramos de la negociación cuando el descuento solicitado sea del 25% o ampliamos al margen hasta el 27%? La importancia relativa de estos objetivos puede variar a lo largo de la negociación, por lo que debe esperarse a que avance el proceso para definirlos con exactitud.

La prioridad que damos a los tres tipos de objetivos puede verse alterada por la información que vamos obteniendo a lo largo de la negociación, los argumentos que van surgiendo, las circunstancias, las personas y el poder negociador de las partes. Por ello es importante analizar y revisar los objetivos de forma continuada durante toda la negociación.

Una vez elaborada la lista GPT debemos, con la información que hemos obtenido anteriormente, tratar de definir la lista de la contraparte. En casi todas las negociaciones, la información más importante es descubrir cuáles son los objetivos y prioridades de la otra parte. La gran ventaja que supone identificarlos nos obliga continuamente a intentar averiguarlos. En este comienzo de la negociación se trata más de una estimación; según avancemos en el proceso negociador podremos ajustar y valorar más precisamente las prioridades y los objetivos de la otra parte. Cualquier diferencia entre nuestras prioridades y las de la contraparte crea oportunidades para hacer intercambios que incrementen el valor. Con estos intercambios ambas partes ganan, porque reciben algo que es más valioso que lo que conceden. Pueden existir asuntos que no tengan gran valor para nosotros, pero sí para la contraparte. Éstos pueden utilizarse para realizar posteriormente concesiones sin coste, o a un coste reducido para nosotros.

Cuando no se tienen claras las prioridades, se provoca una tendencia hacia la «rendición» ante los asuntos tratados de forma más agresiva e insistente por la parte contraria, si bien puede parecer que se están haciendo concesiones sobre los temas de menor importancia para nosotros.

Los objetivos también podrían clasificarse y agruparse utilizando otros criterios, además del de prioridad: nivel de conflicto, objetivos monetarios y no monetarios, resultados a corto, medio y largo plazo, o incluso utilizando más de un criterio. Por ejemplo, prioridad y nivel de conflictividad.

2.3.4. Análisis de la capacidad negociadora

Una vez que se han establecido los objetivos, el siguiente paso es evaluar la capacidad negociadora, tanto la nuestra como la de la parte contraria.

Para ello tienen que analizarse los siguientes aspectos: habilidad negociadora, poder negociador, información obtenida y oferta comercial.

— *Habilidad negociadora.* Hay aspectos de la personalidad del individuo o del grupo de personas que componen el equipo negociador que definitivamente influyen en la habilidad negociadora: empatía, intuición, saber escuchar, creatividad, capacidad de observación, simpatía, paciencia, autoestima, etc. Es importante conocer estas características personales y aprovecharlas al máximo durante la negociación.

— *Experiencia.* La habilidad para negociar se consigue negociando. Los aspectos citados anteriormente como componentes de la habilidad negociadora se desarrollan y mejoran con la práctica. La experiencia es el arma más eficaz para cualquier negociación. Cuantos más acuerdos se hayan negociado, más discusiones se hayan entablado y más conflictos se hayan resuelto, más hábilmente se alcanzan con éxito los objetivos en una negociación.

— *Poder negociador.* El poder de negociación se mide en función de cuatro parámetros: preparación, influencia psicológica, superioridad y posición de cada una de las partes.

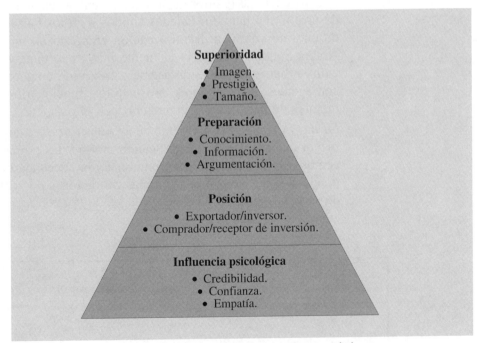

Figura 2.6.   Componentes del poder negociador.

La preparación implica un poder que se obtiene por el conocimiento, la disponibilidad de información y la capacidad de exposición de argumentos de peso, lógicos, bien estructurados y bien fundamentados. La influencia psicológica es mayor cuanto mayor es la credibilidad, la capacidad de generar confianza y la empatía. Por último, la superioridad para imponerse a la otra parte se establece a través de la fuerza (económica, por tamaño, por jerarquía, etc.). También la imagen y el prestigio son algunos de los elementos que proyectan superioridad ante la contraparte. El poder negociador de una empresa desconocida que está en las primeras etapas de internacionalización es inferior al de aquella que ya está consolidada y es reconocida en su sector. Durante las primeras fases de la negociación, el poder negociador de la parte que toma la iniciativa en la toma de contacto es menor. Es el caso de la posición del exportador o de la empresa que busca un socio en un mercado extranjero para constituir una alianza estratégica.

— *Disponibilidad de información.* La información es básica en todo el proceso de negociación. Es importante saber cómo obtenerla, cuál es relevante y cuándo utilizarla. La accesibilidad, la precisión y la transparencia de la información dependen básicamente del grado de desarrollo del país. En Estados Unidos o en los Países Bajos existe un enorme volumen de información empresarial, mientras que en Arabia Saudí o Indonesia la fuente más importante es la información verbal, que puede obtenerse a través de contactos personales con agentes, distribuidores, proveedores, funcionarios públicos, directores de banco, colegas que conocen el país, etc.

— *La oferta comercial.* Evidentemente nuestro poder negociador será mayor cuanto más atractivas sean la oferta y las propuestas que hacemos a la contraparte. Una combinación adecuada de producto y precio a la que se acompañan unas condiciones de venta y un nivel de servicio ajustado a las necesidades de la contraparte agilizará la consecución final del acuerdo.

> *La mejor forma de satisfacer los intereses propios es cuidando los intereses de aquellos que tienen lo que uno quiere.*
>
> Adam Smith

2.3.5. Planificación estratégica

Antes de sentarnos en la mesa de negociación hay que anticipar las formas de negociar que se van a utilizar, las estrategias y tácticas que se van a poner en práctica, así como los argumentos empleados para defender nuestras posiciones. Debemos decidir si las formas de negociar que vamos a desarrollar serán de confrontación, subordinación, inacción, colaborativas o razonadas. Lo habitual es que se opte por una combinación de las mismas a lo largo del proceso, pero en general la negociación tendrá un estilo más cercano a una de ellas. También debemos anticipar el tipo de estrategias y tácticas a utilizar, así como los argumentos con los que acompañaremos nuestras propuestas, contrapropuestas y concesiones, y cómo responderemos a las previsibles ofertas de la contraparte. Casi con toda seguridad, durante el proceso de negociación iremos modificando todas estas maneras de abordar la negociación a medida que vayamos conociendo mejor la posición de la contraparte. Sin embargo, debemos anticipar esta planificación estratégica en base a la información de la que disponemos. La experiencia previa adquirida en negociaciones similares puede sernos de gran ayuda.

2.4.
El desarrollo

2.4.1. El encuentro

El inicio de la negociación propiamente dicha —el cara a cara— comienza con la presentación de las dos partes dejando muy claro el nivel jerárquico de cada componente del equipo negociador. En este momento es clave la creación de un ambiente positivo, que genere confianza y un clima favorable para la negociación. Al comienzo de las negociaciones existe cierta tensión, precisamente por la desconfianza mutua entre ambas partes.

Respecto al lugar, el anfitrión siempre contará con una cierta ventaja producida por un mayor control y conocimiento del entorno. Generalmente la ubicación enfrentada de las partes a ambos lados de la mesa de negociación provoca la competitividad, mientras que una mesa ovalada o circular motiva la cooperación.

2.4.2. Las posiciones iniciales y las propuestas

Tras el encuentro inicial y las presentaciones se inicia un intercambio de información sobre la posición de cada una de las partes. La actitud clave a lo largo de toda la negociación, y especialmente en esta subfase, es la de escuchar, preguntar y observar. Es importante prestar atención no sólo al contenido de la información (el nuestro y el de la contraparte), sino también a la forma de comunicarla.

El intercambio de información parte de la exposición sobre la posición inicial de cada parte. Las partes discuten sus posiciones tratando de argumentarlas de una forma razonada. Esta etapa es clave para contrastar las hipótesis que sobre la otra parte nos habíamos hecho en la fase de preparación. La contraparte puede que no nos informe claramente sobre su posición óptima (PO) ni de la posición de ruptura (PR). Lo normal es que se solicite más de lo que se espera conseguir o se ofrezca menos de lo que se está dispuesto a dar.

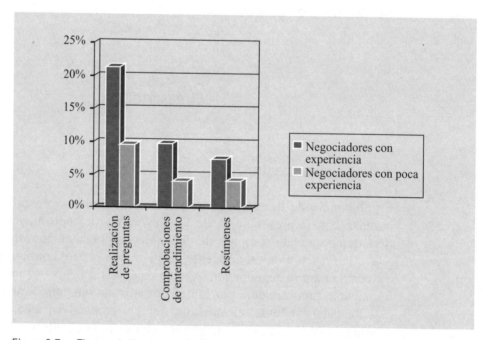

Figura 2.7.   Tiempo dedicado a preguntar y a escucha activa sobre la participación total durante el proceso negociador. (Adaptado de Acuff, *How to negociate anything with anyone, anywhere around the world.*)

Para tener una idea más aproximada de los objetivos de la otra parte lo más eficaz es solicitar una justificación punto por punto de la posición inicial. Los buenos negociadores se caracterizan por hacer muchas preguntas y prestar mucha atención a las respuestas. Es la mejor forma de descubrir motivos o intereses que nos ofrezcan pistas sobre las verdaderas motivaciones de nuestros interlocutores. De la misma forma nosotros tendremos que responder a las preguntas sobre nuestra posición. Hacer un resumen de la posición de cada uno en este momento es muy útil antes de realizar las propuestas.

En países como Estados Unidos, Canadá, Alemania, Suecia, Suiza o Australia las preguntas se pueden realizar de forma directa sin molestar en absoluto, mientras que en otros como China, Japón, Brasil o Colombia hay que ser muy precavidos y no tratar al principio asuntos comerciales que puedan tener un carácter confidencial.

El final de la discusión sobre las posiciones iniciales debe conducir a la fase de propuestas. La propuesta es lo que se negocia, es la oferta o petición diferente de la posición inicial. Las primeras propuestas suponen el punto de entrada al margen de maniobra de la negociación. En esta primera parte de la negociación no deben hacerse concesiones de ningún tipo.

La forma más eficaz de presentar las propuestas es la siguiente:

— Las propuestas deben ser genéricas. En los primeros momentos no estamos en una posición de ofrecer propuestas concretas que nos comprometan. Se trata de explorar las reacciones de la contraparte y poder rectificar. En la fase de intercambio se debe estar muy alerta observando las reacciones de la contraparte y adaptando nuestra argumentación a su comportamiento. Es importante verificar que nuestros interlocutores entienden y aceptan nuestros argumentos.

— Las propuestas deben ser perfectamente claras para la contraparte. Aunque sean genéricas, no deben impedir que se conozca perfectamente lo que se ofrece.

— Las propuestas deben adoptar una posición firme, no se debe utilizar un lenguaje sumiso. Ser claro y taxativo no significa ser agresivo. Se trata de transmitir una imagen coherente y segura.

— Las propuestas deben ser condicionales: «Si ustedes aceptan este punto, nosotros estaríamos dispuestos a ofrecer este otro». Es mejor generalizar nuestra oferta y ser específicos con la condición.

— La presentación de las propuestas debe ir acompañada de las justificaciones. Es importante separar ambas; primero la propuesta y luego las explicaciones y justificaciones.

— Es mejor enlazar distintas propuestas relativas a uno o varios asuntos y ofrecerlas como un paquete. El mensaje que se transmite es que no se concede nada mientras no se apruebe todo.

2.4.3. El intercambio: ajuste de posiciones

En esta última etapa de la fase de desarrollo se trata de acortar la distancia entre las propuestas de una y otra parte. Consiste en ir modificando, reduciendo, ampliando y especificando nuestras propuestas, y las de la contraparte, hasta llegar al intercambio de concesiones.

Una concesión es una propuesta concreta. Se llega a ella después de un ajuste de posiciones de propuestas y contrapropuestas. Es el momento más intenso de la negociación y el que exige una mayor concentración.

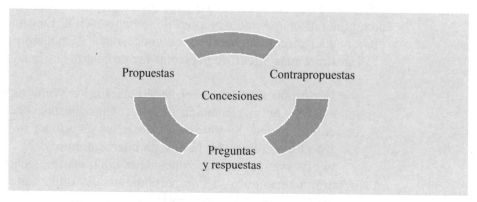

Figura 2.8.   El camino del regateo hasta la oferta de concesiones.

El regateo propio de esta etapa debe considerar las siguientes pautas:

— *Separar a las personas de los problemas.* Los enfrentamientos de tipo personal, las emociones, los asuntos personales, etc., no deben condicionar nuestra actitud ni los objetivos de la negociación.

— *Responder a las propuestas de la contraparte.* Cuestionándolas, solicitando mayor detalle o modificaciones más favorables para nosotros.

— *Concentrarse en objetivos y no en posiciones.* No es beneficioso apegarse a posiciones. Éstas tendrán que ir variando a lo largo de la negociación. Lo importante es ir alcanzando los objetivos.

— *Inventar opciones en beneficio mutuo.* Éste será el resultado natural de haber separado las posiciones de los objetivos. Todo ello desemboca en la aportación de nuevas soluciones.

— *Emplear criterios objetivos.* No dejarse convencer con argumentos genéricos sin concretar del tipo «si la primera operación sale bien, el mercado tendría mucho potencial» o «con nuestra participación sus clientes saldrán beneficiados», etc.

La forma más efectiva de presentar las concesiones es la siguiente:

— Argumentos y justificaciones. El mensaje debe ir acompañado de las justificaciones y las ventajas que obtendrá la contraparte en caso de aceptación. Los argumentos realzan la importancia de la concesión.

CUADRO 2.2

Cómo presentar los argumentos y las justificaciones

✓ Destacar los puntos que sean atractivos y apropiados para la contraparte. Es básico ponernos en su lugar para destacar aquello que pueda satisfacer sus necesidades, encajar con sus motivaciones, personalidad, intereses y cultura.

✓ Repetir los puntos más importantes al comienzo y al final del mensaje.

✓ En mensajes excesivamente largos y de contenido denso, desgajarlos en paquetes de información más pequeños y «digeribles».

✓ Es mejor utilizar pocos argumentos de gran peso que muchos argumentos débiles.

✓ Es mejor una participación activa que limitarse a responder a las intervenciones de la contraparte.

✓ En concesiones realizadas por pymes en mercados maduros, relacionar las ventajas con las ofertas de la competencia.

— La condicionalidad. La forma de presentar las concesiones debe ser siempre condicional; nunca debe concederse algo a cambio de nada. Proponer cosas como «ofrecemos un 3% de descuento» o «nos haremos cargo de los gastos de promoción» significa perder la oportunidad de obtener algo a cambio de lo que damos. Por otra parte, lo que se ofrece gratis no se valora. Si la otra parte acepta la concesión, hemos conseguido un acuerdo, y si no la acepta, tenemos un margen para pedir que exponga sus razones o haga contraofertas y nosotros poder contestar, manteniéndonos firmes o modificando nuestra oferta. Es más eficaz mencionar antes las condiciones y posteriormente lo que ofreceríamos en caso de que se aceptara la condición.

— No precipitarse en hacer concesiones. En un primer momento no se deben hacer concesiones en asuntos importantes; sin embargo, sí conviene hacerlo en cuestiones secundarias. Según los trabajos de D. Hendon publicados en su libro *Cómo negociar en cualquier parte del mundo,* al preguntar a negociadores internacionales de distintos países, las fórmulas de realizar concesiones que causan mayor rechazo entre los encuestados fueron: hacer concesiones y luego volverse atrás y realizar todas las concesiones al inicio de las negociaciones.

— Hacer concesiones que no impliquen un coste importante pero que la contraparte piense que consiguió a costa de un verdadero sacrificio.

— Hacer que la contraparte se esfuerce para conseguir cualquier concesión con el objetivo de que la aprecie más.

— Hacer concesiones con la mayor lentitud posible, e incluso, si se puede evitar, no hacer ningún tipo de concesiones.

Una habilidad especialmente útil en esta fase es la del tratamiento de las objeciones que la contraparte vaya poniendo encima de la mesa. Prestar atención a las objeciones de la otra parte es esencial, ya que nos permite readaptar nuestra postura tras conocer mejor sus necesidades, preocupaciones, motivaciones y deseos. Pero también debemos resolver las objeciones que nos plantean. Las técnicas de respuesta a las objeciones más habituales son las siguientes:

— Reformulación interrogativa: desdramatiza la objeción y la reformula de una forma más positiva.

Objeción:	*Respuesta:*
«El producto es muy caro.»	«¿Lo que usted quiere decir es que existe una gran diferencia de nuestro producto con respecto a los demás?»

— Apoyo (o efecto *boomerang*): admite la objeción intentando convertir un punto débil en un punto fuerte.

Objeción:	*Respuesta:*
«La composición del producto es demasiado compleja.»	«Sí, no es sencilla debido a su originalidad.»

— El debilitamiento: consiste en reformular la objeción, atenuando el argumento de la contraparte.

Objeción:	*Respuesta:*
«Han decaído las ventas de este producto.»	«Digamos que han crecido menos que en años anteriores.»

— El testimonio: consiste en citar la experiencia de un tercero, preferentemente una empresa conocida del sector.

Objeción:	*Respuesta:*
«No estamos seguros de que su producto soporte bien el transporte por vía marítima.»	«La empresa X nos compra desde hace años el producto y también lo transporta en barco sin ningún problema.»

— La anticipación: se trata de introducir una objeción adelantándose a la que la parte contraria podría formular posteriormente. De esta forma se reduce su importancia.

Anticipación: «Ustedes se preguntarán por qué proponemos que nuestra participación en la *joint-venture* sea del 51%, y nuestra razón es evidente...».

— El silencio: cuando las objeciones son irracionales y sin fundamento, una forma de rebatirlas es el silencio para dejar que en el intercambio se pase a negociar otra cuestión.

Objeción:	*Respuesta:*
«Aunque no nos conozcan deben creer en nuestra profesionalidad y concedernos la absoluta exclusividad para representarles en todo el mercado europeo.»	Silencio.

2.5.
La conclusión

El objetivo final de la negociación no es otro que llegar a un acuerdo tan satisfactorio como sea posible. Una vez finalizada la etapa de intercambio se procede al cierre de la negociación. Sin embargo, no es fácil. Realmente no sabemos cuál es la posición límite o de ruptura (PR) de la contraparte. Tampoco, si hemos conseguido obtener todas las concesiones posibles, y este hecho nos empuja a seguir negociando. Por el contrario, dar más tiempo implica el riesgo de que nos saquen más concesiones a nosotros.

Existen una serie de señales que nos indican cuándo y cómo deben darse por concluidas las negociaciones:

— Las contrapropuestas se desvanecen, son cada vez menos frecuentes e intensas.
— La diferencia entre una postura y otra es cada vez menor.
— La contraparte empieza a pedir detalles concretos (fecha de entrega, formas de pago, garantías, muestras, etc.).
— La contraparte demanda una ventaja suplementaria.
— La contraparte lanza una falsa objeción para retrasar el momento de su decisión.

Tomar la decisión del cierre es más sencillo cuando se han resumido y establecido acuerdos de principio o preacuerdos durante el proceso de negociación. Se trata de que ambas partes hayan entendido perfectamente a lo que se están comprometiendo.

Los dos condicionantes básicos para que nuestro oponente esté de acuerdo en concluir la negociación son: credibilidad acerca de nuestra posición —es decir, que se perciba que no estamos dispuestos a hacer más concesiones— y que nuestro paquete de cierre satisfaga suficientemente a la contraparte.

Es relativamente habitual que en esta etapa se produzca la táctica de «demanda de último momento». Se utiliza como si fuera un ultimátum, poniendo aparentemente en peligro el acuerdo final. Esta demanda es más que cuestionable. Conviene pedir más información y valorar el lenguaje no verbal para determinar la firmeza de la demanda propuesta. Esta táctica se utiliza basándose en la percepción de que debido al esfuerzo en tiempo y energía invertidos la parte a la que se propone la última demanda la aceptará sin demasiada resistencia.

Se pueden emplear distintas técnicas de conclusión. Se trata de elegir la que mejor se adapte al tipo de negociación internacional en la que estamos embarcados. Algunas de las más habituales son las siguientes:

— *Cierre con argumento.* Consiste en guardar un argumento de peso («un as en la manga») para sacarlo al final. Durante el proceso de negociación hemos tenido la paciencia y previsión de mantener en secreto un argumento que sacamos a colación en la fase de conclusión.
— *Cierre con concesión.* Se trata de hacer una concesión en el último momento para provocar el cierre. Es el tipo de cierre más habitual.
— *Cierre con resumen.* La negociación concluye haciendo un resumen de los acuerdos alcanzados, las concesiones que hemos ofrecido a nuestros oponentes y las ventajas que para éstos supone llegar al acuerdo final. Es como el alegato final del abogado defensor en un juicio.
— *Cierre con presión.* Se trata de provocar el cierre utilizando argumentos que inciten a la contraparte a tomar una decisión rápidamente. Por ejemplo, «la semana próxima nos veremos obligados a aplicar otras tarifas».
— *Cierre con aceptación de la última objeción.* Se trata de evitar la multiplicación de objeciones emitiendo preguntas como «¿es el último punto sobre el que ustedes todavía tienen dudas?». Si la contraparte responde afirmativamente, la conclusión es inminente.
— *Cierre con alternativa.* Consiste en ofrecer dos o más alternativas de cierre. Para utilizar esta técnica conviene haber dejado abiertas varias posibilidades en la fase de intercambio.

Tras el cierre se debe formalizar el acuerdo. Éste es un momento importante que no conviene descuidar. Normalmente la tensión propia de toda negociación desaparece y se baja la guardia, descuidando los detalles para «rematar el acuerdo». Para evitar problemas de interpretación y malentendidos posteriores se debe resumir lo que se ha acordado y verificarlo con la contraparte. Es aconsejable que el acuerdo se formalice por escrito, con la aceptación expresa de ambas partes.

Desgraciadamente, algunas negociaciones concluyen sin acuerdo. En este caso conviene siempre dejar una puerta abierta a futuras relaciones comerciales. No se debe desperdiciar el trabajo que se ha realizado. Además, nunca se sabe, las circunstancias en el mundo de los negocios internacionales son muy cambiantes.

3. Tácticas para negociar internacionalmente

Objetivos del capítulo:

1. Identificar los factores esenciales en la negociación de una oferta internacional.

2. Realizar una clasificación de las tácticas más comunes que utilizan los negociadores internacionales.

3. Señalar las ventajas e inconvenientes de cada una de ellas y cuándo es aconsejable utilizarlas.

4. Ofrecer posibles alternativas —contramedidas— para responder a las tácticas más usuales.

5. Alertar sobre el comportamiento de ciertos negociadores que utilizan tácticas agresivas o desleales.

3.1.
Factores determinantes en la elección de tácticas

La negociación no es simplemente un debate intelectual sobre distintos temas de interés común o de conflicto, es también un intento deliberado de convencer al oponente para que nos ofrezca lo que deseamos, a cambio de algo que estamos dispuestos a dar, pero al menor coste posible. Las tácticas son las maniobras que utilizan ambas partes durante el proceso de negociación para intentar persuadir o forzar —en el caso de las tácticas más agresivas— al contrario para que nos conceda aquello que anhelamos. Son un medio para conseguir un fin. Aunque presentes a lo largo de todo el proceso, alcanzan un especial protagonismo durante la etapa de intercambio.

En una negociación, lo importante es no alejarse de los objetivos que se persiguen. Las tácticas irán dirigidas a deteriorar la confianza de la parte contraria, a generar incertidumbre, a confundir, a sonsacar más información, etc., pero siempre aplicadas para un fin concreto (véase figura 3.1).

A lo largo de una negociación no se utiliza sólo un tipo de tácticas; lo habitual es ir variando los movimientos y maniobras según vaya avanzando el proceso. Hay que estar alerta para identificar las tácticas que utiliza el adversario con el objeto de contrarrestarlas o superarlas. Sin embargo, no se trata de cambiar necesariamente nuestra estrategia porque lo haya hecho la parte contraria. Antes de cambiar nuestras tácticas debemos comprobar si dicho cambio se debe precisamente a que nuestra estrategia está funcionando. Su nueva postura no tiene por qué ser más efectiva, y de hecho quizá lo sea menos.

Saber utilizar de forma eficaz las tácticas tiene una relación directa con la experiencia negociadora. Aunque a priori hay determinadas característi-

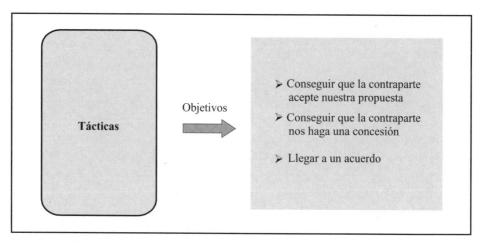

Figura 3.1. Fines de las tácticas en la negociación internacional.

cas de la personalidad de un negociador que pueden favorecer la capacidad de persuasión (autocontrol, improvisación, saber negociar con incertidumbre, asimilar las diferencias de tipo cultural, etc.), son las horas transcurridas en diferentes mesas de negociaciones las que forman a un buen negociador capaz de utilizar eficazmente las tácticas.

El tipo de táctica a elegir dependerá de una multitud de variables; algunas de las más significativas son:

— *El poder negociador.* La relación de fuerzas influye en el sentido de que la parte más fuerte está en disposición de poder utilizar tácticas más agresivas, y viceversa.

— *El tipo de negociación.* No es lo mismo negociar un contrato de compraventa que la constitución de una *joint-venture*.

— *La cultura.* La nacionalidad y la cultura de la contraparte influyen en el tipo de maniobras que se utilizan para convencer y conseguir los objetivos. De hecho, los aspectos culturales son determinantes a la hora de utilizar con mayor profusión unas tácticas que otras.

— *La etapa del proceso negociador.* Hay tácticas más adecuadas para las etapas de toma de contacto y de discusiones iniciales, otras para la etapa de intercambio, donde adquieren gran protagonismo, y otras para la etapa de cierre.

— *Los asuntos a tratar.* A lo largo de toda negociación se van discutiendo diversos temas. El tipo de asunto que se trata en cada momento y su importancia también influyen en la elección de las tácticas.

— *Los objetivos a alcanzar.* Este factor tiene mucha relación con el anterior; no se utilizan las mismas tácticas cuando se discuten temas que constituyen un objetivo prioritario que cuando pertenecen a objetivos más colaterales. En cualquier caso, las distintas maniobras que se utilizan deben dirigirse hacia la consecución de los objetivos.

— *La personalidad del negociador.* Es más eficaz utilizar tácticas en las que uno se sienta más cómodo y seguro por ser más acordes a la personalidad del individuo. Utilizar tácticas que van contra el carácter del negociador puede poner en evidencia con más facilidad la verdadera intención de las mismas.

— *La experiencia negociadora.* Este factor, sobre todo si se trata de experiencia negociadora en el entorno internacional (en el que el número de incertidumbres es mucho mayor que en el entorno nacional), determina el tipo de tácticas que se utilizan. También el hecho de negociar con alguien con el que ya se negoció previamente condiciona los movimientos y maniobras en negociaciones posteriores.

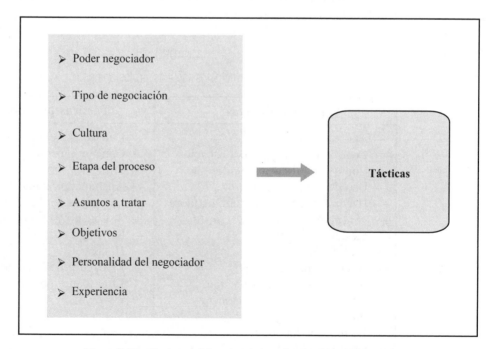

Figura 3.2.   Factores determinantes en la elección de las tácticas.

3.2.
Tipos de tácticas

La variedad de tácticas que se utilizan en negociaciones internacionales hace imposible referirse a todas ellas. La lista no puede ser exhaustiva. Las posibilidades y las sorpresas que afloran en una mesa de negociación son infinitas. Por tanto, nos referiremos sólo a aquellas que ocurren con mayor frecuencia y que agrupamos bajo tres epígrafes o grupos distintos: tácticas profesionales —entre las que distinguimos las directas y las persuasivas—, tácticas agresivas y tácticas desleales.

Las tácticas profesionales son las que mayoritariamente se utilizan en las negociaciones. Son maniobras que intentan influir en la conducta y el comportamiento de la contraparte con el fin de conseguir algo (una concesión, retomar una negociación que se encuentra en un callejón sin salida, forzar un acuerdo, etc.). Una condición necesaria para que estas maniobras consigan su objetivo es que la contraparte no perciba precisamente que está siendo objeto de una táctica.

Las tácticas profesionales se pueden clasificar en dos grandes grupos: las directas y las indirectas o persuasivas.

CUADRO 3.1

Principales tácticas profesionales

Tácticas directas	**Tácticas persuasivas**
— Apostar alto.	— Deteriorar la confianza.
— Control y utilización del espacio.	— Generar incertidumbre.
— Control y utilización del tiempo.	— Simular.
— Uso de la información.	— Aparentar pasividad/indiferencia.
— Hacer referencia a los competidores.	— La excusa del idioma.
— «Sí, pero a cambio de...»	— «El bueno y el malo».
— La demanda final.	— Ser imprevisible.
— Ir al detalle.	— Halagar.
— Apelar al prestigio.	— La excusa de la autoridad.
— No ceder/soportar la presión.	— El enfoque inocente.
— Adelantarse a las objeciones.	
— Promesas y recompensas.	
— La práctica habitual.	
— Conseguir un aliado.	

© Ediciones Pirámide

3.3.
Tácticas directas

A través de las tácticas profesionales de estilo directo se indica a la contraparte lo que se quiere que haga o lo que se desea que conceda en base a razones, justificaciones y argumentos. A continuación, se exponen las tácticas directas más utilizadas en negociaciones internacionales.

3.3.1. Apostar alto

Se trata de iniciar la negociación con demandas altas (o demasiado bajas), muy por encima (o por debajo) de la posición real más favorable. Esto permite disponer de un mayor margen de negociación; es útil en negociaciones en las que la contraparte va a ser especialmente exigente. Es habitual, por ejemplo, en proveedores experimentados con centrales de compra de grandes grupos de distribución, que prefieren ofertar en un principio precios altos, ya que la contraparte suele solicitar numerosos descuentos, por diversos conceptos, sobre la oferta inicial.

3.3.2. Control y utilización del espacio

En negociaciones internacionales, el equipo negociador anfitrión está en una situación de ventaja respecto al control del espacio y el ambiente. El que negocia en su país controla el lugar donde se van a desarrollar las negociaciones. Los despachos o salas de reuniones incómodas o excesivamente confortables, la falta de limpieza, los ruidos excesivos, la inexistencia de teléfonos o medios para presentaciones, la salas de reuniones en hoteles o ubicaciones muy lejanas al lugar en el que se alojan los visitantes, etc., pueden obedecer a una maniobra premeditada para presionar psicológicamente a la otra parte.

Especialmente, cuando se viaja a países lejanos, el cansancio de los vuelos, las diferencias horarias, así como los distintos hábitos, pueden ser el acicate para «caer» en manos del «amable» equipo anfitrión, que es nuestra tabla de salvación para sortear todos esos pequeños inconvenientes. Esta situación puede provocar una predisposición de bajar la guardia y ser más flexible en agradecimiento a la hospitalidad.

Hay dos formas de no ser víctima de este tipo de tácticas: tomar uno mismo el control del espacio, aceptando las ayudas del anfitrión sólo como sugerencias, o bien aceptar la ayuda, simulando que todo lo que se ofrece se espera que se ofrezca.

Un aspecto importante es el control y la utilización del tiempo de ocio. La informalidad propia de las actividades sociales complementarias a casi cualquier negociación también puede agilizar, desbloquear o aclarar aspectos tratados de forma más rígida en las mesas de negociaciones. Algunos negociadores pueden utilizar las actividades sociales para influir en el comportamiento de la contraparte. Pero en ocasiones las recepciones importantes con representantes diplomáticos (muy utilizadas por norteamericanos y británicos), cenas en restaurantes de prestigio o incluso invitaciones para fiestas familiares de los anfitriones también pueden ser más un medio de manipulación que un requisito necesario para negociar.

3.3.3. Control y utilización del tiempo

El tiempo se puede utilizar y controlar de varias formas en beneficio propio. Dos de las más utilizadas son las siguientes:

— *Retrasos.* Como en la estrategia militar, se puede detener al enemigo que avanza con pequeñas incursiones de guerrilla esperando que lleguen nuevos refuerzos para atacar. En el caso de las negociaciones, se trataría de retrasos e interrupciones que se provocan cuando las discusiones no van por buen camino para nuestros objetivos. Hay que ganar tiempo para preparar un mejor contraataque. En función de la situación, esta preparación consistirá en conseguir nueva información, perfilar nuevas tácticas, consultar con expertos, influir en los medios de comunicación, la intervención de autoridades públicas, etc.

— *Límites de tiempo.* Otra forma de utilizar el tiempo es fijando límites. Cuando el tiempo es escaso, los plazos de terminación imprimen una sensación de urgencia a la contraparte, presionándola para que acceda al acuerdo. Lo importante es que los límites de tiempo sean o parezcan reales; por ejemplo, tener que coger un vuelo que sale a determinada hora, el cambio inminente de una norma, el plazo límite dado por la Administración para presentar una solicitud, etc. A no ser que se utilice precisamente como táctica, no es aconsejable revelar, hasta que no sea el momento, la fecha y la hora del vuelo de regreso; la contraparte podría utilizarlo para dejar para el último momento asuntos a tratar que tendrían que negociarse bajo la presión del tiempo.

3.3.4. Uso de la información

Ya se expuso anteriormente la importancia que tiene disponer de información durante el proceso de negociación; tanto sobre el entorno y el sector como sobre la situación de la contraparte. Todo ello se integrará en nuestra estrategia negociadora. Pero contar con información no es suficiente, hay que saber explotarla y utilizarla.

La habilidad para ocultar o proporcionar información en el momento adecuado a lo largo de la negociación es una premisa clave del buen negociador. El tipo de negociación, la nacionalidad y personalidad de la contraparte y la fase del proceso negociador en la que nos encontremos serán los puntos a tener en cuenta al compartir información acerca de nuestros intereses reales, posturas, preferencias, etc. Pero además, suministrar información suele ser la única vía para conseguir a su vez información de la otra parte. Una táctica directa consistiría en dar información (no mucha, o poco relevante) sobre nuestra situación o intereses y, a continuación, preguntar sobre temas importantes.

En la figura 3.3 se expone la predisposición de los negociadores (en una valoración de +10 a −10) de ciertos países a compartir información con la contraparte. Los más predispuestos, entre los analizados, son los alemanes; los menos, los japoneses y los israelíes.

Otra táctica relativa a la información es la de provocar rumores fuera de la mesa de negociaciones, de forma que la contraparte no perciba el rumor como tal, sino como información cierta y valiosa que ha obtenido por su cuenta.

3.3.5. Hacer referencia a los competidores

Cuando las negociaciones se encuentran en fase avanzada —se están negociando ya las condiciones económicas—, una táctica que suelen usar los compradores es recordar a los vendedores que tienen otras ofertas similares o incluso mejores, aunque no sea cierto. Para que esta táctica sea efectiva, debe realizarse de forma convincente, de tal forma que la amenaza parezca real.

© Ediciones Pirámide

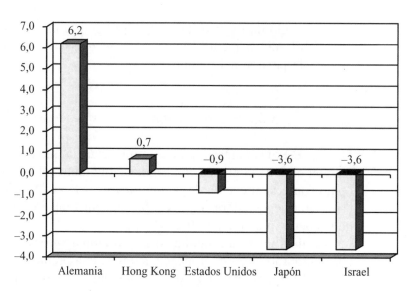

Figura 3.3.   Predisposición a compartir información. (Adaptado de J. M. Brett, *Negotiating Globally*.)

3.3.6.   «Sí, pero a cambio de...»

La forma de hacer concesiones más beneficiosa es la de que toda propuesta se haga siempre a condición de que la parte contraria ofrezca algo a cambio. Se trata de no dar nada gratis. Cuando las concesiones se van haciendo sin pedir nada a cambio, van perdiendo fuerza en el sentido de que la contraparte percibe que se hacen sin esfuerzo y que es algo que le corresponde por derecho.

La forma de utilizar esta táctica es mediante frases condicionales del tipo: «Si ustedes nos ofrecen X, nosotros estaríamos dispuestos a ofrecerles Y». Es una propuesta positiva, y es la contraparte quien tendrá que decidir si acepta o no. Pero en caso de no aceptar, se deja una puerta abierta para modificar (o no) la propuesta condicional.

3.3.7.   La demanda final

Se produce cuando se está a punto de conseguir un acuerdo, con la esperanza de que la contraparte, que ya lleva mucho tiempo y esfuerzo consumidos, no alargue más el proceso negándose a una última concesión.

Una central de compras europea tenía prácticamente cerrado el acuerdo de condiciones y precios con una bodega de vinos española. Se habían acordado una serie de descuentos importantes que se suponía se aplicarían a partir del año siguiente. A punto de firmar el acuerdo, y después de múltiples negociaciones de «tira y afloja», la central de compras dijo: «Bueno, se entiende que este descuento empezamos a aplicarlo en este año...». La bodega de vinos supuso que era el último obstáculo, dio su conformidad y se firmó el acuerdo.

3.3.8. Ir al detalle

Es muy probable que en algún momento de la negociación haya que entrar en detalles técnicos, financieros o legales. Profundizar más de lo habitual en uno de esos ámbitos y hacerlo en el momento más apropiado dará buenos resultados.

— *Detalles técnicos.* Es el caso, por ejemplo, de negociación de una *joint-venture* en la que se discute el contenido y valor de la transferencia de tecnología. A la parte que cede la tecnología le conviene que las conversaciones se centren en los aspectos técnicos, de forma que la contraparte valore más la tecnología que se va a transferir.
— *Detalles financieros.* En ciertos casos puede interesar que cada propuesta se valore en términos económicos, profundizando entonces en los aspectos financieros con el objetivo de rechazar, por ejemplo, propuestas que no interesan alegando que no se les puede asignar un valor económico.
— *Detalles legales.* Las negociaciones entre empresas de dos países distintos se deberán ceñir a normas nacionales o internacionales. Insistir en el cumplimiento de estas normas puede utilizarse como maniobra. En ciertos países, generalmente los menos desarrollados, las negociaciones pueden o no ceñirse al marco legal. Se puede exigir el cumplimento de la norma en cada punto o ser más flexible a cambio de concesiones.

Otra forma de utilización de este tipo de tácticas es usar un lenguaje excesivamente técnico, financiero o legal para provocar cierto desconcierto o intimidar a una contraparte que no quiere reconocer su desconocimiento sobre la materia. También se puede exigir ir al detalle en determinado momento de la negociación cuando se discute un tema sin mayor importancia con el objetivo de ganar tiempo.

3.3.9. Apelar al prestigio

Impresionar al contrario por el reconocimiento que uno ha alcanzado en determinado sector, presentar un impresionante currículum de logros y méritos, citar una lista de clientes importantísimos, etc., puede ayudar a que sean incuestionables gran parte de nuestros planteamientos, juicios, argumentos, ofertas y propuestas. Para que esta táctica tenga efecto es importante que cumpla dos requisitos:

— Citar los logros poco a poco: es mejor citar los méritos de forma progresiva a lo largo de la negociación; nunca atosigar al comienzo del proceso con toda la batería de méritos.
— Mostrarse seguro: se debe mostrar una actitud serena y sincera, propia de la empresa que debido a su posición y poder de negociación está por encima de las circunstancias; va con la verdad por delante y no tiene nada que ocultar.

Las empresas de reconocido prestigio internacional —entre ellas, las grandes multinacionales— utilizan con cierta frecuencia esta táctica con argumentos tales como «sabemos que el precio que estamos dispuestos a pagar no es mucho, pero seguro que se verá recompensado al convertirse en proveedor de nuestra empresa; no todos lo logran» o «le pedimos que se haga cargo de los gastos de promoción; es lo mínimo para un acuerdo de representación de nuestra empresa, que le va a conceder la distribución en exclusiva de marcas prestigiosas en su mercado».

Otra forma de utilizar esta táctica es a la inversa, apelando al prestigio de la contraparte para conseguir lo que estamos solicitando con frases del tipo de «imaginamos que una organización tan prestigiosa como la suya no tendrá ningún problema en cumplir con unos plazos de entrega de 15 días» o «no nos cabe duda de que una empresa líder del sector, como la suya, estará dispuesta a realizar una inversión inicial en el proyecto de no menos de 100.000 dólares».

Especialmente en algunos países, como en China, hay que tener mucho cuidado para que esta táctica no provoque sensación de humillación en el contrario, lo cual podría perjudicar o incluso hacer fracasar la negociación.

3.3.10. No ceder/aguantar la presión

Es un tipo de maniobra que se podría calificar más exactamente de contratáctica. La paciencia y la constancia son grandes virtudes para conseguir lo que anhelamos. Tras largas discusiones, y cuando el cansancio se nota y la capacidad de aguantar la presión decae, es cuando la contraparte puede aprovechar para arrancarnos una concesión que nos desviaría excesivamente de nuestra posición. Se trata de no ceder, especialmente en esos momentos «bajos».

Otras situaciones que podemos contrarrestar con la táctica de no ceder es cuando la contraparte nos lanza un ultimátum, nos acorrala con multitud de argumentos y justificaciones o nos promete grandes recompensas si aceptamos un trato. No ceder es algo especialmente recomendable cuando se plantean condiciones irracionales. Para mantenerse firme es muy efectivo tener siempre presentes los objetivos y la posición de ruptura en la negociación.

La mejor forma de no ceder es hacerlo de forma indirecta. Un contundente «no» puede provocar un enfrentamiento innecesario. En este caso, la indefinición es lo mejor. ¿Cómo hacerlo? Ignorando las propuestas, desviando las discusiones hacia otro asunto, haciendo promesas, solicitando tiempo para estudiar las nuevas condiciones, utilizando la excusa de la falta de poder de decisión, etc.

Una variante de este tipo de tácticas consiste en mantener una postura inflexible (no ceder) ante determinado asunto, con el objetivo de dar a entender que es algo muy importante para nosotros (que puede serlo, o no serlo).

3.3.11. Adelantarse a las objeciones

Adelantarse a las objeciones que la contraparte podría utilizar como munición en la mesa de negociaciones es la mejor forma de desarmarla, restando importancia a temas que pueden ser conflictivos.

Cuanto más esfuerzo se haya dedicado a la fase de preparación, mejor se identificarán y tratarán las objeciones que nos plantearán nuestros oponentes. En el capítulo 2 se expusieron ejemplos de cómo hacer frente a las objeciones de los oponentes.

3.3.12. Promesas y recompensas

Para motivar a la parte contraria a que acepte una propuesta se puede utilizar la fórmula de las promesas o recompensas: «si nos concede ahora un 20% de descuento, el año próximo seguirán siendo nuestros proveedores» o «prometemos enviarles nuestros mejores técnicos siempre que no distribuyan equipos de nuestra competencia».

La fórmula menos comprometida de hacer promesas es la condicional: se promete algo, si se tiene tiempo, si se cumple determinado requisito, si hay recursos suficientes, si lo aprueba el superior jerárquico, etc. Como cualquier táctica, debe ser creíble. Las promesas excesivamente vagas o inciertas no motivan a nadie.

3.3.13. La práctica habitual

Se pretende convencer a la parte contraria de que acepte determinada propuesta, ya que todo el mundo, «en su lugar, lo haría». Cuando se negocian condiciones, consiste en recurrir a la forma más habitual en que se trabaja en ese país y en el sector en que se negocia.

3.3.14. Conseguir un aliado

Se trata de conseguir algún o algunos simpatizantes a favor de nuestra propuesta en el equipo contrario y darles suficientes argumentos y munición para que internamente ayuden a salvar posibles barreras para el desarrollo de las negociaciones o bien apoyen nuestras propuestas en las reuniones que tengan con sus compañeros de equipo.

3.4.
Tácticas persuasivas

Las tácticas persuasivas pretenden influir de una forma indirecta en los factores psicológicos de la contraparte con objeto de obtener lo que se desea. En la figura 3.4 se recogen los principales aspectos del comportamiento humano sobre los que tratan de influir las tácticas de tipo persuasivo.

3.4.1. Deteriorar la confianza

Se trata de mermar la confianza de la contraparte con frases del tipo: «¿por qué han bajado sus niveles de calidad?», «¿por qué no consiguen fidelizar a sus clientes?», etc. El objetivo es provocar inseguridad.

Las tres posturas más utilizadas para deteriorar la confianza de la parte contraria son:

— Mostrarse decepcionado por determinado comportamiento, propuesta o concesión de la contraparte.

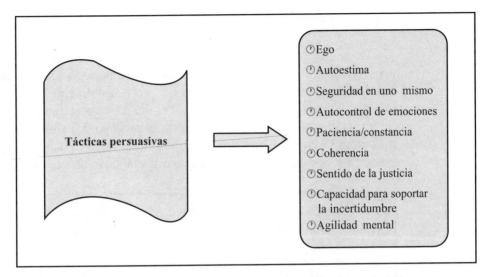

Figura 3.4. Influencia de las tácticas persuasivas sobre la conducta humana.

— Adoptar un aire de suficiencia y actuar como si nuestros juicios, razonamientos, argumentos, ofertas, propuestas, etc., fueran incuestionables.
— Poner a la defensiva a la parte contraria de forma que sienta la necesidad de descubrirnos su postura e intereses, lo que constituye una información de inmenso valor en cualquier negociación.

Es recomendable utilizar este tipo de tácticas siempre que lo haga un negociador experimentado que tenga confianza en sí mismo.

3.4.2. Generar incertidumbre

La incertidumbre se genera básicamente de dos formas:

— Ocultando información, emitiendo información confusa e inconexa o realizando movimientos imprevistos.
— No llegando a conclusiones, no comprometiéndose, revisando los asuntos machaconamente y, en general, no tomando decisiones.

Una de las claves del buen negociador es saber jugar con la incertidumbre, que incluso aunque no sea objeto de una táctica siempre está presente en cualquier negociación, especialmente en el ámbito internacional.

3.4.3. Simular

Dejar que los oponentes conozcan cada movimiento propio es tan poco aconsejable en un campo de batalla como en una negociación. Fingir una determinada postura aparentando algo que no es totalmente cierto es algo muy habitual en cualquier negociación; sin embargo, esta táctica no debe utilizarse de forma continuada a lo largo de todo el proceso. La simulación es siempre más efectiva en pequeñas dosis, sobre todo al inicio, cuando las partes no se conocen y por tanto es más fácil que estas tácticas den resultado.

> *Cuando estés dispuesto, finge incapacidad; cuando estés preparándote, finge ser pasivo; cuando estés cerca, simula que te alejas; cuando te aproximes, haz como si huyeras.*
>
> Sun Tzu (autor chino),
> del libro *Artes de guerra*, escrito hace 2.500 años.

3.4.4. Aparentar pasividad/indiferencia

El negociador indiferente es el que no se define, y su rostro es indescifrable; tanto si gana como si pierde en cualquier asunto, no se inmuta. La pasividad y la indiferencia pueden crear incertidumbre en la contraparte, que tratará de interpretar este comportamiento como si hubiera algo secreto que no ha sido desvelado. Los oponentes tienden a mostrar sus cartas y a tantear para conseguir alguna reacción. Es entonces cuando han caído en la trampa, y es el momento de salir de la indiferencia con frases como: «¿Pero esto es todo lo que ofrecen?».

Esta táctica es útil en caso de oponentes que confunden la confianza con el *ego*. Requiere una gran capacidad de autocontrol y puede resultar también muy eficaz con negociadores que utilizan tácticas agresivas.

3.4.5. La excusa del idioma

Uno de los grandes desafíos en los negocios internacionales es sortear la barrera del idioma. Incluso cuando se habla el mismo idioma, por ejemplo el español, surgen malentendidos entre españoles, argentinos o mexicanos. Aún se complica más este asunto si añadimos la complejidad del argot o las palabras utilizadas en determinados ámbitos empresariales. Sin embargo, esta barrera se utiliza en muchas ocasiones como una oportunidad para justificarse por malentendidos, que realmente no son ciertos. Es la excusa para «echarse atrás» de una forma más elegante. También puede utilizarse cuando interesa incrementar la confusión durante el proceso negociador a través de la utilización de términos poco claros, ambiguos, de doble interpretación, etc.

En este sentido, hay que resaltar la importancia de las traducciones en los contratos. En la mayoría de los países la parte válida del contrato es la del idioma oficial y no la de la traducción. Cuando el intérprete ha sido contratado por la contraparte pueden darse importantes lapsus, especialmente en temas tales como repatriación de dividendos, impuestos a pagar, etc., que deliberadamente no se tradujeron y que son descubiertos con posterioridad a la firma del acuerdo.

Otra táctica dentro de este contexto del idioma es utilizar una terminología especializada propia del argot de un sector o una profesión (abogados, técnicos, economistas, etc.) con el fin de transmitir un mensaje que queda poco claro a la contraparte, que no se atreve a pedir explicaciones para no dar la impresión de desconocimiento sobre la materia.

3.4.6. «El bueno y el malo»

Es una táctica muy frecuente que consiste en que una de las personas del equipo negociador adopta un comportamiento duro, inflexible y temperamental y el otro adopta un papel conciliador. El objetivo es poner a la contraparte ante una situación extrema, a través de la actuación del «malo», para que cuando intervenga el «bueno» sus propuestas parezcan muy razonables, al compararlas con las anteriores, de forma que haya mayor predisposición a aceptarlas. El problema de esta táctica es que, si se utiliza de forma continuada, la otra parte puede percibir que está siendo objeto de manipulación.

3.4.7. Ser imprevisible

Cuando la contraparte se muestra segura y tiene el control de la negociación, en determinado momento ser imprevisible reducirá posiblemente su poder de negociación y generará incertidumbre. Se trata de desconcertar al contrario con cambios bruscos de estrategia, comportamiento, posturas, etc.

3.4.8. Halagar

Consiste en alimentar el *ego* de la contraparte. Conocer bien sus puntos débiles es básico para que esta táctica tenga efecto. El halago puede consistir en un simple cumplido sobre la apariencia, o sobre cualquier aspecto de su personalidad. También se puede halagar el criterio, los puntos de vista o la forma de plantear las propuestas durante la negociación.

El halago es una táctica útil con negociadores de Europa del Este. Alimentar su *ego* a lo largo de la negociación es un fuerte estímulo para mantener el control de ésta. A través del halago el mensaje subliminal que se envía es: «Usted es una persona estupenda, ¿cómo se va a negar a aceptar este trato?».

3.4.9. La excusa de la autoridad

Con el objetivo de no comprometerse, o ganar tiempo, se puede utilizar como excusa que el equipo que negocia no tiene suficiente autoridad para aceptar determinado pacto y que se debe consultar a un superior jerárquico. Cuando la persona que decide sobre determinado asunto o sobre todos no está presente en la mesa de negociaciones, no recibe la presión que sufre el que está negociando cara a cara.

Otra forma de negarse a aceptar determinados acuerdos, evitando la confrontación, es utilizando excusas como: «mis jefes me impiden que acepte acuerdos tan extremos» o «el código ético de mi empresa no me permite aceptar su propuesta», etc.

3.4.10. El enfoque inocente

Se trata de ganar tiempo en la negociación fingiendo no entender bien las propuestas de la parte contraria o bien lanzar preguntas inocentes o aparentar ingenuidad para conseguir mayor información sobre las necesidades, objetivos e intereses de la contraparte.

3.5.
Contramedidas

Una de las claves del negociador eficaz es saber identificar las tácticas que utiliza la contraparte. Una vez identificadas, se trata de neutralizar sus efectos utilizando contramedidas que son, a su vez, tácticas con las cuales se persigue contrarrestar los efectos de las utilizadas por la contraparte.

En los cuadros 3.2 y 3.3 se exponen las contramedidas más eficaces para cada una de las tácticas directas y persuasivas.

CUADRO 3.2

Contramedidas a las tácticas directas

Tácticas directas	Contramedidas
Apostar alto	— Deteriorar la confianza. — Pasividad/indiferencia. — Hacer referencia a la competencia. — No ceder. — La excusa de la autoridad. — La práctica habitual.
Control y utilización del espacio	— Pasividad/indiferencia. — Apelar al prestigio. — Aguantar la presión. — Conseguir un aliado.
Control y utilización del tiempo	— Aguantar la presión. — «Sí, pero a cambio de...» — Conseguir un aliado.
Uso de la información	— Deteriorar la confianza. — La excusa del idioma. — Ir al detalle. — Ser imprevisible.
Hacer referencia a los competidores	— Pasividad/indiferencia. — Aguantar la presión. — Enfoque inocente. — Apelar al prestigio. — Adelantarse a las objeciones. — Promesas/recompensas.
«Sí, pero a cambio de...»	— Apostar alto. — La demanda final. — Ser imprevisible. — No ceder. — La excusa de la autoridad.

CUADRO 3.2   *(continuación)*

Tácticas directas	Contramedidas
La demanda final	— No ceder. — Adelantarse a las objeciones. — Promesas/recompensas. — «Sí, pero a cambio de...» — Control y utilización del tiempo. — La práctica habitual.
Ir al detalle	— Generar incertidumbre. — La excusa del idioma. — Control y utilización de la información. — Apelar al prestigio.
Apelar al prestigio	— Deteriorar la confianza. — Control y utilización del espacio y la información. — Halagar. — El enfoque inocente.
No ceder/aguantar la presión	— Apostar alto. — Generar incertidumbre. — Deteriorar la confianza. — «El bueno y el malo». — Hacer referencia a la competencia. — Ser imprevisible.
Adelantarse a las objeciones	— Simular. — Deteriorar la confianza. — «Sí, pero a cambio de...» — Ser imprevisible. — El enfoque inocente.
Promesas y recompensas	— Ir al detalle. — No ceder. — Hacer referencia a la competencia. — Control y utilización del tiempo.
La práctica habitual	— Deteriorar la confianza. — Apelar al prestigio. — No ceder. — Ir al detalle.

CUADRO 3.2 *(continuación)*

Tácticas directas	Contramedidas
Conseguir un aliado	— No ceder/aguantar la presión. — «El bueno y el malo».

CUADRO 3.3

Contramedidas a las tácticas persuasivas

Tácticas persuasivas	Contramedidas
Deteriorar la confianza	— Pasividad/indiferencia. — Ir al detalle. — No ceder. — Adelantarse a las objeciones. — La práctica habitual.
Generar incertidumbre	— Control y utilización de la información. — Ir al detalle. — Aguantar la presión.
Simular	— Apostar alto. — Generar incertidumbre. — «El bueno y el malo». — Ir al detalle.
Pasividad/indiferencia	— Apelar al prestigio. — Apostar alto. — Deteriorar la confianza. — Hacer referencia a la competencia. — No ceder. — Aguantar la presión. — Halagar.
La excusa del idioma	— Simular. — Control y utilización de la información. — Ir al detalle.

CUADRO 3.3 *(continuación)*

Tácticas persuasivas	Contramedidas
«El bueno y el malo»	— Simular. — Control y utilización del tiempo, espacio e información. — Ser imprevisible.
Ser imprevisible	— Aguantar la presión. — Pasividad/indiferencia. — Ir al detalle. — Control y utilización del tiempo, espacio y la información.
Halagar	— Pasividad/indiferencia. — La demanda final. — «Sí, pero a cambio de...» — No ceder.
La excusa de la autoridad	— No ceder. — Control y utilización del tiempo y espacio. — Apelar al prestigio. — No ceder.
El enfoque inocente	— Apelar al prestigio. — Pasividad/indiferencia. — No ceder.

3.6.
Tácticas agresivas

Las tácticas agresivas utilizan como arma la coacción en lugar de los argumentos o la persuasión. Se trata de forzar al contrario a realizar algún movimiento. Son muy habituales en negociaciones en las que se fuerza la confrontación y en donde la sensación es la de que lo que uno pierde lo gana el otro. En determinados momentos de una negociación pueden resultar muy eficaces. Este tipo de tácticas no deben obedecer a estados de ánimo. Para que surtan efecto tienen que responder a comportamientos racionales y estrategias bien planificadas. El negociador que aplica una táctica agresiva debe estar preparado para una posible respuesta, también agresiva, de la contraparte. Poner entre las cuerdas al oponente puede tensarlas tanto que acaben rompiéndose.

3.6.1. Amenazas

Se trata de advertir sobre las consecuencias negativas que causaría no aceptar nuestras propuestas con el objetivo de presionar a la contraparte a aceptarlas. Algunas amenazas frecuentes son: proponer que otra persona se siente a negociar por nosotros («Ya no quiero negociar con usted. Estoy harto. ¡Que otra persona me sustituya!»), amenazar con dirigirse a otra persona de mayor autoridad que las que forman parte del equipo negociador de la contraparte («Con usted no se puede discutir: necesitamos la presencia de su jefe para seguir avanzando»), etc.

3.6.2. Ultimátum

El ultimátum es una táctica de amenaza extrema. Consiste en poner entre la espada y la pared a la parte contraria transmitiendo el mensaje de «tómelo o déjelo». Uno de los ultimátum más utilizados es el de abandonar las negociaciones.

Como en el juego del mus, el órdago es una opción que puede ser definitiva, para lo bueno y para lo malo. Desgraciadamente, la negociación internacional no es un juego de cartas, por lo que no es aconsejable abusar de este tipo de maniobras. El riesgo sobre los efectos que puede causar un ultimátum es menor cuando uno está en la posición de comprador o cuenta con mayor poder negociador.

3.6.3. Ataques

Tomar la iniciativa, ser firmes y directos y no hacer concesiones son el fundamento de las tácticas de ataque. El objetivo es el de tener el control de la negociación, sobre todo en lo que se refiere a tiempo y espacio.

Los negociadores con experiencia utilizan estas tácticas de ataque sólo cuando discuten de asuntos supuestamente no negociables. El ataque, para que sea efectivo, debe ser premeditadamente calculado. Los ataques, causa de un estado de ánimo (acaloramiento por las discusiones), provocan rechazo e irritación en sus destinatarios.

3.6.4. Intimidación

La diferencia entre la agresividad y la intimidación es que esta última intenta causar temor como revulsivo para influir en la toma de decisiones. Generalmente se utiliza cuando uno se encuentra en un callejón sin salida en un asunto importante y no se siente capaz de alcanzar un acuerdo mediante el intercambio de discusiones. La intimidación puede convertirse, en ocasiones, más en un estilo de negociación que en una táctica puntual. Por ejemplo, los jefes de compras de las grandes empresas pueden mantener una actitud de intimidación con sus proveedores, que generalmente son pymes.

3.6.5. Engaño

El engaño, en mayor o menor medida, es algo habitual en toda negociación. Confundir al contrario, simular comportamientos, omitir información o presentarla de forma que produzca engaño son comportamientos que se suelen dar en las negociaciones internacionales. Las pequeñas mentiras son efectivas en pequeñas dosis. Si se descubren, normalmente se perdonan y se pasan por alto, ya que la contraparte posiblemente también las utilice. No hay que confudir esta táctica con la de fraude, que constituiría un comportamiento desleal, o con alguna otra práctica contraria a la ley.

3.7.
Tácticas desleales

Este tipo de tácticas se basan en el principio de que «el fin justifica los medios». Rompen reglas o violan derechos en aras a conseguir un beneficio. Las tácticas desleales no sólo se aplican en condiciones extremas, cuando un negociador se siente acorralado; también pueden constituir el paso previo al inicio del proceso negociador o ser la tónica general en cierto tipo de negociaciones, culturas y empresas. La frontera de la ética en el planteamiento y uso de tácticas no es una línea perfectamente delimitada. Lo que para unas culturas constituye un comportamiento normal para otras puede considerarse una actitud fuera de toda ética. Estas tácticas están al borde o entran de lleno en el ámbito de la ilegalidad. Pero este hecho no significa que no se apliquen.

Según se refleja en la figura 3.5, la decisión sobre el nivel ético que se aplica en las tácticas depende de factores como el entorno (cultura, educación y religión), las características profesionales y personales del equipo negociador (poder de negociación, edad, capacidad de decisión/posición y personalidad), la cultura de la empresa (nivel de competitividad, su orientación: al beneficio rápido, a la satisfacción del cliente, etc.), así como el desarrollo del proceso de negociación y sus perspectivas.

El efecto en la aplicación de una táctica desleal es poco previsible. El objetivo no siempre se alcanza, y el riesgo de que la otra parte abandone las negociaciones o responda con otras tácticas «sucias» es elevado. La mejor actitud para no caer en las tácticas desleales es la desconfianza.

De cualquier forma, a continuación se exponen algunas de las tácticas desleales que en algún momento el negociador puede encontrarse cuando trata de cerrar acuerdos en cualquier parte del mundo.

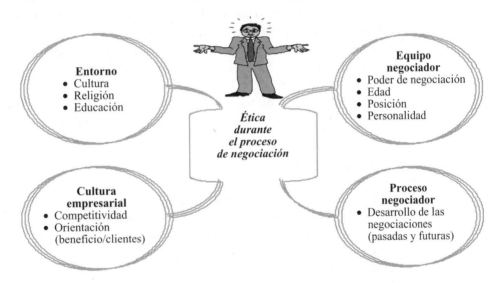

Figura 3.5.   Condicionantes de la ética en la negociación internacional.

3.7.1.   Fraude y falsificación

El fraude es un engaño llevado al extremo. Una cosa es no decir absolutamente la verdad y otra es cambiar y falsificar deliberadamente los datos o los hechos. Se trata de grandes mentiras que se ponen encima de la mesa de forma premeditada y preparada.

Ejemplos de este tipo de tácticas son: falsificaciones de títulos/certificados, presentación de balances/cuenta de resultados manipulados, folletos y catálogos con publicidad engañosa, hacerse pasar por otras personas, etc.

La única forma de contrarrestar esta táctica es siendo amable, pero suspicaz; no confiar en nada y verificarlo todo, y además poner de manifiesto el fraude una vez que se ha descubierto.

3.7.2. Vigilancia y espionaje

Se trata de vigilar a la contraparte cuando no se debe hacer, es decir, fuera de la mesa de negociaciones. En ciertos países, las autoridades públicas pueden imponer al negociador extranjero un acompañante o guía permanente que en realidad se dedica a observar cualquier movimiento o actitud, a obtener información, que de otra forma no podría conseguirse, para utilizarla en el transcurso de las negociaciones.

Un extremo en la aplicación de estas tácticas es el «pinchazo» de teléfonos, el espionaje de datos electrónicos, la disposición oculta de micrófonos o aparatos de escucha, etc.

La manera de contrarrestar la vigilancia es siendo cuidadoso en no dar información ni ninguna pista que pueda utilizarse en nuestra contra.

3.7.3. Robo

La sustracción de información confidencial es más habitual como paso previo al inicio de las negociaciones, aunque también puede ser el último intento de forzar una situación de un negociador desesperado.

Dentro de esta categoría se incluye la desaparición de documentos electrónicos (disquetes, CD, DVD), dispositivos electrónicos (portátiles, agendas electrónicas, teléfonos móviles), carteras, carpetas con documentos confidenciales, etc.

La obtención de esta información bien puede ayudar a conocer la posición, los intereses y estrategia del «robado» o también es susceptible de utilizarse como una forma de chantaje.

El consejo para evitar este tipo de extorsión es claro: ser muy cuidadoso con la información que se lleva encima. Hay que evitar despistes olvidando carteras en la sala de reuniones, documentos e informes confidenciales a la vista en la habitación del hotel, etc.

3.7.4. Soborno

Las personas con experiencia de negociación internacional nunca se sorprenderán ante una proposición de soborno. En algunos países se sobreentiende que el acuerdo debe ir acompañado de algún regalo o «compensación».

Un soborno típico es el que se ofrece al funcionario público para acceder a un contrato de suministro con el Estado, obtener un certificado o autorización para poner en marcha un proyecto, etc. Pueden ser procesos eternos que sólo se consiguen resolver en un tiempo prudencial mediante la gratificación. Otro tipo de soborno habitual es el que tiene como objetivo obtener información confidencial.

Por supuesto no todos los sobornos tienen como perfil objetivo el del funcionario; también los ejecutivos del sector privado pueden tener una actitud pasiva respecto al soborno, aceptándolo, o activa, solicitándolo. La compensación adopta distintas formas: dinero en efectivo, regalos personales, viajes turísticos, un puesto de trabajo, participación en el capital de la empresa, etc.

CUADRO 3.4

Índice de corrupción mundial (de menos a más grado de corrupción)

1. Finlandia	19. Irlanda	37. Jordania
2. Dinamarca	20. Alemania	38. Lituania
3. Nueva Zelanda	21. Japón	39. Sudáfrica
4. Islandia	22. España	40. Costa Rica
5. Singapur	23. Francia	41. Mauricio
6. Suecia	24. Bélgica	42. Grecia
7. Canadá	25. Portugal	43. Corea del Sur
8. Holanda	26. Botsuana	44. Perú
9. Luxemburgo	27. Taiwan	45. Polonia
10. Noruega	28. Estonia	46. Brasil
11. Australia	29. Italia	47. Bulgaria
12. Suiza	30. Namibia	48. Croacia
13. Reino Unido	31. Hungría	49. República Checa
14. Hong Kong	32. Trinidad y Tobago	50. Colombia
15. Austria	33. Túnez	51. México
16. Israel	34. Eslovenia	52. Panamá
17. Estados Unidos	35. Uruguay	53. Eslovaquia
18. Chile	36. Malasia	54. Egipto

CUADRO 3.4   *(continuación)*

55. El Salvador	67. Zimbabue	79. Pakistán
56. Turquía	68. Rumanía	80. Rusia
57. Argentina	69. Venezuela	81. Tanzania
58. China	70. Honduras	82. Ucrania
59. Ghana	71. India	83. Azerbaiyán
60. Letonia	72. Kazajistán	84. Bolivia
61. Malawi	73. Uzbekistán	85. Camerún
62. Tailandia	74. Vietnam	86. Kenia
63. República Dominicana	75. Zambia	87. Indonesia
64. Guatemala	76. Costa de Marfil	88. Uganda
65. Filipinas	77. Nicaragua	89. Nigeria
66. Senegal	78. Ecuador	90. Bangladesh

FUENTE: Banco Mundial, Asociación de Supervisores del Fraude Certificado, 2002.

3.7.5.   Chantaje

Se trata de hacer caer al contrario en una trampa. Se le motiva o induce a cometer algún tipo de acto ilegal, indecoroso o inmoral para luego chantajearle. En algunos casos puede ser la táctica que sigue a la del soborno.

4 Culturas y negociación internacional

Objetivos del capítulo:

1. Resaltar la importancia que tiene el entorno cultural en el que se desarrollan las negociaciones internacionales.
2. Analizar los aspectos culturales que tienen mayor relevancia para los negocios.
3. Distinguir entre culturas basadas en la comunicación verbal («culturas de bajo contexto») y culturas basadas en la comunicación no verbal («culturas de alto contexto»).
4. Saber interpretar los signos falsos en el lenguaje corporal.
5. Poner de manifiesto las diferencias culturales entre los distintos países.

4.1.
Elementos culturales en una economía global

Las empresas que tienen actividades en varios países —especialmente aquellas que actúan en mercados lejanos desde un punto de vista cultural— necesariamente se ven abocadas a negociar en un idioma que no es el suyo y con unos interlocutores cuyas costumbres y formas de actuar son distintas y, en muchas ocasiones, desconocidas.

La cultura es el conocimiento adquirido que la gente utiliza para interpretar las experiencias y generar un cierto tipo de comportamiento social. Es un concepto que puede considerarse en términos de países o identidades nacionales o en términos de un grupo humano, empresa u organización. La expresión «cultura nacional» es poco precisa, ya que la cultura no puede limitarse a las fronteras físicas de un país; sin embargo, por razones prácticas, se utiliza para referirse al conjunto de experiencias, creencias, patrones de comportamiento y valores compartidos por la mayoría de los habitantes de un país. De la misma manera la expresión «cultura internacional» se utiliza para explicar tradiciones y factores culturales que se comparten más allá de las fronteras de un país. Esta integración entre culturas de diferentes países se logra por medio de la difusión, la cual puede ser de dos tipos:

— *Directa.* Cuando dos culturas se mezclan directamente, por procesos de unificación política. Éste puede ser el caso, por ejemplo, del acercamiento cultural que se ha producido en Europa a través del proceso de integración económica, que culminó con la Unión Económica y Monetaria.

— *Indirecta.* Cuando las costumbres y productos de un país llegan a otro a través del comercio o de los medios de comunicación. Un ejemplo son las pautas culturales que Estados Unidos ha introducido en América Latina, especialmente en países como Venezuela o Panamá.

La cultura está formada por distintos elementos, entre los cuales los que tienen mayor relevancia cuando se realizan negocios internacionales son los siguientes:

— *Lenguaje.* Es el primero y más importante, ya que constituye el principal medio de comunicación y negociación.
— *Costumbres y modales.* Una costumbre es la forma de hacer algo, mientras que los modales reflejan comportamientos considerados como adecuados dentro de un determinado grupo social.
— *Sistema de valores.* Los valores son convicciones que las personas tienen sobre lo que es bueno y lo que es malo. Un cambio en el sistema de valores producirá un cambio en las características de la cultura de que se trate.
— *Valoración de los objetos.* El tipo de productos que un país fabrica o adquiere para satisfacer las necesidades de sus habitantes es un indicador del grado o desarrollo de su cultura. El grado de desarrollo de una sociedad afecta no sólo a los niveles de vida, sino a las creencias y valores de ésta. Una sociedad altamente desarrollada tenderá a ser más materialista y a utilizar criterios de valoración objetivos frente a otros más subjetivos, propios de sociedades con menor nivel de desarrollo.
— *Educación.* El nivel de formación de un grupo social influye considerablemente en muchos aspectos de la cultura. En un país con alto nivel de educación, en las negociaciones se tratarán aspectos técnicos, logísticos o financieros con una profundidad o especialización mayor que en países de niveles medios o bajos.
— *Religión.* Influye en la forma de vivir de las personas, así como en sus hábitos y actitudes. Es un factor que no está presente en la mayor parte de las negociaciones internacionales, pero cuando aparece tiene una trascendencia máxima.

Para tener éxito en una negociación internacional se deben considerar los diferentes elementos que forman las culturas de cada país, lo cual permitirá aprender cómo adaptarse a ellas, evitando comportamientos basados en falsas concepciones. La principal causa de esas falsas concepciones es el llamado «etnocentrismo», que se puede definir como la creencia que tiene un determinado grupo social acerca de que su forma de actuar es la mejor posible. Esta situación se manifiesta tanto a nivel individual como de empresa. Un ejemplo del primer caso sería el ejecutivo internacional que intenta convencer a un comprador extranjero con los mismos argumentos que utilizaría para un comprador nacional. En el caso de empresas, es habitual observar en grupos multinacionales cómo desde la matriz se diseñan estrategias comerciales que luego se imponen a las filiales, sin tener en cuenta las diferencias en los mercados respectivos.

El hecho de que la economía de mercado se esté implantando en países con economías cerradas, proteccionistas o centralmente planificadas hace que el choque entre modelos no se produzca actualmente por cuestiones ideológicas, sino más bien culturales. Por todo ello es importante que los ejecutivos y directivos de las empresas con actividad internacional mejoren sus habilidades interculturales. A través de esos nuevos conocimientos se conseguirán ventajas tanto para la empresa como para el empleado.

CUADRO 4.1

Ventajas del aprendizaje cultural

— Facilita la relación y comunicación con los clientes en el exterior.
— Prepara para comprender mejor las posiciones del cliente con el que se negocia.
— Ayuda a crear sinergias con personas de otras culturas.
— Evita cometer errores que pueden poner en peligro la negociación.
— Proporciona un cierto sentido de identidad, ya sea a nivel individual o a nivel de empresa.
— Motiva a los empleados a trabajar en filiales en el exterior.

4.2.
El contexto cultural de la negociación

Uno de los primero autores que analizó la influencia de la cultura en los negocios internacionales fue R. T. Hall. Partió del concepto de «contexto», es decir, del conjunto de informaciones que se facilitan en un encuentro y que están estrechamente ligadas a las circunstancias en que dicho encuentro tiene lugar. Desde el punto de vista del contexto en que se desarrollan las negociaciones, pueden distinguirse dos tipos de culturas:

a) Culturas de «bajo contexto»

Son aquellas que se limitan a utilizar formas verbales y no verbales muy claras y específicas, con expresiones gramaticales completas y pocas interpretaciones subjetivas. El interlocutor dice, básicamente, lo que quiere decir. Los miembros de estas culturas valoran la información directa, precisa y rápida; cuantas menos ambigüedades e incertidumbres, mejor. Este tipo de comunicación es típico de países occidentales anglosajones como Estados Unidos, Inglaterra o Alemania.

b) Culturas de «alto contexto»

En este tipo de culturas la información se maneja de forma vaga y poco precisa; las actitudes y circunstancias son más importantes que las propias expresiones. Una parte importante de la información se incorpora en el comportamiento del interlocutor, más que en los mensajes verbales que transmite. Este tipo de comunicación está centrada en la persona y sus sentimientos, y es típica de culturas como la japonesa, la árabe o la latina.

4.3.
La comunicación: envío y recepción de mensajes

En el proceso de comunicación el emisor manda el mensaje, que consta de dos elementos: verbales y no verbales. El primero está formado por las palabras y su significado en los diferentes idiomas; la comunicación no verbal incluye gestos y actitudes. Para que la comunicación se realice será necesario que los mensajes se reciban de forma adecuada y, para ello, no sólo debe asegurarse que la propia emisión se haya realizado de forma correcta, sino además que el receptor esté preparado para recibir e interpretar el mensaje.

4.3.1. Comunicación verbal

El factor individual más importante en este tipo de cultura es el lenguaje, tanto hablado como escrito. El lenguaje es un sistema de símbolos utilizados para comunicar y también un reflejo de los pensamientos de las personas. Es una forma de representar la realidad del que habla, pero la interpretación de esa realidad se verá afectada por el uso de frases y formas verbales que dependerán del nivel de educación y del contexto cultural de los interlocutores.

El significado de las palabras se transmite a través de la denotación y la connotación:

— La denotación es el significado explícito que se le da a una palabra, es la acepción primaria que tiene una palabra para los que conocen el idioma; es decir, es la definición que se incluye en el diccionario. No obstante, en países que utilizan un mismo idioma el significado puede ser diferente. Por ejemplo, la palabra «montañero» en castellano tiene dos acepciones: «persona que práctica el alpinismo», que es la más conocida en España, o «persona que trabaja en la montaña», que es más utilizada en América Latina. En este sentido, un exportador de material de alpinismo que elabore una documentación promocional para América Latina deberá utilizar la palabra «montañista», no «montañero».

— La connotación es la asociación secundaria que tiene una palabra para los miembros de una comunidad lingüística. Es el significado emocional y de valor que la palabra sugiere. La connotación se refiere a los sentimientos o percepciones asociados a esa palabra.

El negociador internacional se enfrenta a la tarea de identificar tanto la denotación como la connotación de las palabras que utilice con objeto de realizar una óptima comunicación verbal durante la negociación.

Cuando no existe un idioma común entre los negociadores, además del problema de la imposibilidad de entendimiento entre ellos, cuya resolución pasa por contratar los servicios de un intérprete, se pueden presentar otras circunstancias que afecten al resultado de las negociaciones:

— *Transformación de la realidad.* En una negociación comercial existen ciertos detalles y sutilezas que pueden ser muy importantes pero que se pierden durante la traducción, aun cuando se recurra a intérpretes con suficiente conocimiento del idioma. En la mejor de las situaciones, la traducción proporciona una equivalencia y nunca una exacta reproducción del significado.

— *Implicaciones sociales.* El uso del propio lenguaje, en muchas culturas, significa entendimiento y aceptación inmediata, desarrollándose un cierto grado de confianza que no se otorgaría al negociador que no conoce el idioma. Otras veces el uso del idioma puede asociarse a determinado grupo social, que puede ser o no ser digno de confianza. Incluso en algunos países como Japón, el extranjero que habla japonés puede generar desconfianza, ya que los japoneses pueden interpretarlo como una injerencia en su entorno.

— *Dificultades de comprensión.* Es fácil que personas que tienen un idioma como lengua materna supongan que todas las personas presentes en la negociación entienden perfectamente todos los detalles y matices de la conversación.

— *Expresiones coloquiales.* Los factores culturales unidos a expresiones y formas verbales de tipo coloquial frecuentemente comunican mensajes que una persona que conozca el idioma sólo como una segunda lengua no estará en condiciones de entender. Aun cuando las palabras utilizadas sean perfectamente comprensibles, las implicaciones lingüísticas podrán comunicar mensajes diferentes.

De acuerdo con lo anterior, y para evitar los riesgos de malas interpretaciones por problemas de idioma, es conveniente tomar una serie de precauciones cuando se habla en un idioma que no es común a ambas partes.

CUADRO 4.2

Consejos cuando se negocia en un idioma extranjero

— Hablar despacio, con pausas suficientes.
— Usar un vocabulario sencillo.
— Utilizar un tono de voz similar al del interlocutor.
— Prestar atención a los nombres propios (del negociador, su empresa, sus productos, ciudades del país, etc.).
— Evitar palabras que se pronuncian igual pero tienen significados diferentes.
— Repetir las mismas ideas con expresiones diferentes.
— Memorizar frases clave que transmitan los principales argumentos, sin errores de interpretación.
— Resumir las principales conclusiones al finalizar la reunión.

4.3.2. Comunicación no verbal

En una negociación, además de hablar y escuchar a la otra parte, también se debe prestar mucha atención a los gestos. Se estima que en una conversación de negocios, y dependiendo del contexto cultural en el que se desarrolla («bajo» o «alto»), entre un 30 y un 60% de los mensajes intercambiados se produce a través de comunicación no verbal.

Cuando se negocia con una persona de la misma nacionalidad seguramente se tendrán algunos conocimientos para interpretar si los signos corporales significan una aceptación o un rechazo de las propuestas que se están haciendo. Sin embargo, cuando se negocia en el extranjero normalmente no se dispone de ese recurso, a menos que se haya hecho el esfuerzo de aprender los códigos no verbales del país que se visita. La naturaleza humana transmite las emociones básicas de felicidad, desagrado, sorpresa, miedo, ilusión, etc., a través de expresiones faciales que son similares en todo el mundo. No obstante, la cultura modifica la forma en que esas expresiones pueden transmitirse en público. Por ejemplo, los filipinos, malayos o tailandeses son muy generosos con sus sonrisas, lo cual indica el deseo de evitar fricciones, más que una aceptación de las propuestas que reciben. Los europeos son más parcos en cuanto a sonrisas y la expresividad facial es distinta de un país a otro: los franceses apoyan sus argumentos con gestos rotundos —propios de actores de la *Comédie Française*— cuando quieren recalcar algo, mientras que los ingleses controlan mucho su rostro —la clásica flema inglesa—, evitando que exprese libremente sus estados de ánimo.

Es conocido que el significado de las palabras puede cambiar en función de ciertos movimientos del cuerpo, gestos, acercamientos y contacto corporal, actitudes y uso del espacio que se manifiesta durante la conversación, por lo que es necesario ser consciente de estos matices para asegurar una actitud congruente entre lo que se dice verbalmente y el mensaje que se envía y recibe de forma no verbal. Por ejemplo, existen culturas en las cuales el contacto corporal es elevado, por lo que es habitual tocarse, besarse o abrazarse como gesto de saludo (europeos del Este, árabes, judíos), mientras que en otros países el contacto físico es mucho menor (anglosajones, nórdicos, asiáticos).

La comunicación no verbal puede ser activa o pasiva. La primera incluye aquellos elementos que el negociador puede controlar de forma consciente y planeada, mientras que la pasiva es una comunicación interpersonal y puede ser definida como la percepción de signos fruto de la tradición o la costumbre; en esta comunicación el mensaje es permanente y el resultado dependerá de la interpretación del receptor.

En la comunicación no verbal activa se pueden distinguir los siguientes elementos:

— Movimiento: uso de las manos, movimiento de la cabeza, gestos faciales, manera de sentarse, etc.
— Apariencia: ropa, complementos, corte de pelo, etc.
— Mirada: contacto visual, dirección de la mirada, etc.
— Contacto corporal: saludo, despedida, apretón de manos, besos, abrazos, etc.
— Dicción: volumen de voz, entonación, velocidad, murmullos, etc.

Entre los transmisores de comunicación no verbal de tipo pasivo cabe distinguir:

— Los colores: luto, alegría, etc.
— Los números: la forma de contar, números de buena y mala suerte.
— Símbolos: señales viales, emblemas religiosos, etc.

En el cuadro 4.3 pueden encontrarse signos de comunicación no verbal que tienen diferente significado según la cultura.

CUADRO 4.3

Diferencias en la comunicación no verbal

Gestos	— Apuntar con el índice a la mejilla y girar el dedo significa elogio en Italia. El mismo gesto, pero en la sien, significa «estar loco» en la mayoría de los países europeos y de América Latina.
	— Los griegos y los búlgaros inclinan la cabeza hacia delante para decir «no», mientras que los yugoslavos y los hindúes mueven la cabeza de un lado a otro para decir «sí». Los árabes voltean la cabeza hacia arriba para decir que no.
Sonrisas	— Filipinos, tailandeses y malayos sonríen continuamente por cortesía. Los indonesios sonríen antes de dar una mala noticia para reducir el efecto negativo en la otra parte. Muchas veces los japoneses no se ríen por algo gracioso, sino para dar salida a situaciones de incertidumbre, vergüenza, tensión o pena.

CUADRO 4.3   *(continuación)*

Miradas	— Los árabes miran a los ojos todo el tiempo y de forma intensa como para descubrir qué hay detrás de la persona a la que miran. Los escandinavos aprecian el contacto ocular como señal de sinceridad. — Los británicos suelen mirar a la otra parte después de iniciar la conversación o para indicarle que es su turno de hablar. — En México o Japón la mirada directa se considera un gesto agresivo y una falta de respeto.
Contacto físico	— Los escandinavos, los norteamericanos y la mayoría de los países asiáticos evitan el contacto físico con sus interlocutores. — En las culturas latinas el contacto físico —*el abrazo*— se produce entre personas del mismo nivel social que han desarrollado una relación personal. — Los árabes y los rusos son los más proclives al contacto físico, colocando el brazo o tocando el hombro de la otra persona los primeros, y mediante besos y abrazos efusivos los segundos.
Manos	— No debe usarse la mano izquierda para pasar objetos o comida en países como Singapur, Malasia, Corea del Sur, Arabia Saudí, Indonesia o India, pues se considera que está sucia, ya que es la que se utiliza para limpiarse después de ir al baño. — Las señas para llamar a alguien moviendo la mano con los cuatro dedos juntos y la palma hacia arriba es aceptable en Europa y Estados Unidos, pero es un signo de grosería en Japón, Singapur o Tailandia, al igual que lo sería en España hacerlo con la palma hacia abajo.
Posiciones	— Para los europeos del Norte y los asiáticos la postura más correcta es sentarse erguido con los pies juntos sobre el suelo. En muchos países asiáticos cruzar las piernas está mal visto. — Los norteamericanos prefieren mostrarse más informales en las reuniones y tienden a sentarse adoptando una postura cómoda y relajada.

4.4.
Signos falsos en el lenguaje corporal

Puesto que uno de los aspectos esenciales en una negociación es conocer lo que verdaderamente piensa la otra parte de nuestros argumentos, y ya que en las culturas de «alto contexto» la información no se transmite de forma verbal sino a través de gestos, es muy útil conocer algunas técnicas para detectar mentiras en el lenguaje corporal. El autor que más ha profundizado en este tema ha sido Paul Ekman, que en su libro *Telling Lies: clues to deceit in the market place, politics and marriage* desarrolló unas normas prácticas para conocer cuándo el interlocutor miente.

La mayoría de los negociadores prestan más atención a las palabras que a los gestos faciales de sus interlocutores y, sin embargo, éstos son más útiles para detectar el posible engaño. El rostro expresa emociones de alegría, tristeza, disgusto, aprobación, satisfacción, etc., que son difíciles de fingir. Por el contrario, las palabras se controlan mucho más, bien para decir lo que se quiere decir, para decir lo contrario o para no decir nada.

Si se quiere comprobar la veracidad de las expresiones faciales existen cinco señales que el negociador debe tratar de detectar:

— *La expresión suprimida.* Consiste en un gesto involuntario que no se desea mostrar, por lo que la persona que lo inicia lo interrumpe de inmediato y lo encubre con otra expresión como, por ejemplo, una sonrisa.

— *La expresión asimétrica.* Se produce cuando al tratar de ocultar una emoción se concentra el gesto en un lado de la cara o del cuerpo. Por ejemplo, se levanta un hombro más que otro para indicar que no se puede hacer una cosa, o una ceja más que la otra en un gesto de sorpresa.

— *El tiempo de la expresión.* La mayoría de las expresiones que duran más de cuatro o cinco segundos son fingidas, salvo que estén provocadas por emociones muy fuertes, en cuyo caso duran diez segundos o más. Por otra parte, las sonrisas muy cortas casi siempre son falsas.

— *La expresión desacompasada.* Consiste en comparar el momento en el que se produce la expresión facial con otros signos como el movimiento corporal, el tono de voz o los mensajes verbales. Si se está mintiendo, es probable que los gestos no coincidan en el tiempo con las palabras.

— *La expresión ocular.* El engaño se detecta a través del movimiento de los ojos. El parpadeo y la dilatación de las pupilas se producen en un estado de excitación emocional. Eso no quiere decir que siempre que se detecten esos movimientos el interlocutor esta mintiendo, pero sí que la mayoría de las mentiras irán acompañadas de esas expresiones oculares.

Además de los gestos, las palabras también sirven para detectar comportamientos falsos. Es posible saber si el interlocutor está mintiendo fijándose en los olvidos o errores en el habla (lapsus línguae), el lenguaje altisonante o el propio tono de voz. Los errores u olvidos en el transcurso de una conversación pueden obedecer a una situación de conflicto interno. Sucede, por ejemplo, cuando se realiza una pregunta inesperada y el interlocutor no está preparado para responder, o incluso si tiene preparada una respuesta falsa también puede caer en un lapsus. El uso de lenguaje altisonante (con expresiones fuertes o insultos) también puede ser un síntoma de querer esconder lo que realmente se piensa. Se enmascara el fondo con la forma en que se expresan las cosas. También la voz es una fuente de indicios para el engaño. Cuando se miente, lo habitual es elevar el tono de voz. Pero también sucede que una elevación en el tono de voz se corresponde con una situación de enfado o de excitación verdadera.

Si ya es bastante difícil saber a través del lenguaje corporal si una persona del propio país miente, todavía lo será mucho más si se negocia con personas de otras nacionalidades.

En cualquier caso, es útil la aproximación que realiza D. Hendon al distinguir entre gestos que indican sentimientos positivos y los que indican una actitud negativa, y que son válidos para la mayoría de las culturas (véase cuadro 4.4). En última instancia, la interpretación del lenguaje corporal en una negociación internacional se reduce a clasificar todos los gestos que se capten. Si el interlocutor responde a las tácticas y argumentos empleados

CUADRO 4.4

Fundamentos del lenguaje corporal

Signos negativos	Gestos	Signos positivos
Cruzados	Brazos	Abiertos
Cruzadas	Piernas	Separadas
Inclinado hacia atrás	Posición sentado	Inclinado hacia delante
Girada de lado	Posición de la cabeza	De frente a usted
Hace dibujos, garabatos	Escribir en la presentación	Tomando notas
Siempre muy derecha	Espalda	Curvada, más flexible
Muy lejos	Distancia a usted	Bastante cerca
Muy elevados	Hombros	Posición normal
Frotándose la nariz	Gestos con la mano	Golpecitos en la cabeza

FUENTE: D. Hendon, *Battling for Profits.*

con gestos positivos, lo aconsejable es seguir haciendo lo mismo. Si responde con gestos negativos, habrá que cambiar de orientación porque la que se está usando no es convincente. Este análisis no debe apoyarse en un solo gesto, ya que podría resultar engañoso.

Cuando se cambia de táctica es también el momento de acompañar los mensajes verbales con un lenguaje corporal de signos positivos. De esta forma se inducirá al interlocutor a responder también con gestos positivos. Y como este lenguaje está íntimamente ligado a lo que existe en nuestra mente, es posible que el lenguaje corporal de signos positivos adoptado por el interlocutor favorezca la aceptación de nuestros argumentos.

Y un último consejo: nunca debe darse a entender al interlocutor que se tienen las habilidades o los conocimientos para interpretar el lenguaje no verbal. Se pondría a la defensiva, adoptando una posición rígida en sus argumentos y desconfiando de los nuestros.

4.5.
Las dimensiones culturales de la negociación

Se han realizado varios estudios que tratan de desarrollar modelos para agrupar a países por sus semejanzas culturales. Algunos tienen en cuenta el análisis de prácticas empresariales y otros presentan un enfoque más antropológico. El más divulgado es el que realizó el investigador holandés Geert Hofstede mediante el envío de más de 100.000 cuestionarios a ciudadanos de setenta países.

Las dimensiones culturales identificadas en estos estudios facilitan al negociador internacional la comprensión de las actitudes de su interlocutor y la adaptación a su cultura. En total se identifican seis dimensiones culturales, que van desde la distancia al poder (jerarquía) hasta la forma de establecer compromisos.

4.5.1. Distancia al poder (jerarquía)

Es el grado en que los miembros de una organización aceptan el hecho de que existan otros miembros con más poder y, en consecuencia, se someten a ellos con más o menos agrado. En los países donde existe una elevada distancia al poder (Asia, América Latina, África) los jefes o gerentes de cualquier tipo de organización toman decisiones y los subordinados las ejecutan sin cuestionarlas. La estructura de las organizaciones es vertical: los jefes tienen pocos subordinados que les reportan directamente y la responsabilidad individual es escasa. En los países con moderada o baja distancia al poder (Estados Unidos, Canadá, Unión Europea), los gerentes consultan con sus subordinados antes de tomar decisiones, la organización es más plana, cada jefe supervisa a un mayor número de empleados y existe un alto grado de independencia y responsabilidad entre ellos.

CUADRO 4.5

Implicaciones empresariales de la distancia al poder

Prioridades de un colaborador en una cultura con distancia al poder alta	Prioridades de un colaborador en una cultura con distancia al poder baja
— Aproximación directiva.	— Aproximación participativa.
— Paternalismo.	— Consulta.
— Formalidad (apellidos).	— Informalidad (nombre propio).
— Dependencia, obediencia.	— Independencia, iniciativa.
— Centrado en las relaciones personales.	— Centrado en las tareas.
— Se aprecian signos exteriores de poder.	— Ausencia de signos exteriores de poder.
— Importancia de los conceptos.	— Importancia de los hechos.

FUENTE: F. Gauthey, *Leaders without frontiers.*

4.5.2. Individualismo o cultura de grupo

Individualismo es la tendencia a ocuparse solamente de uno mismo y del círculo familiar más cercano. En países con alto individualismo (Estados Unidos, Australia, Canadá, Gran Bretaña) se espera que los individuos sean autosuficientes, con iniciativa y orientados a conseguir metas. La autonomía y la seguridad financiera personal son valores importantes, y la gente tiende a tomar decisiones personales sin depender demasiado del apoyo del grupo. Por el contrario, en países con bajo individualismo (Indonesia, Malasia, Pakistán, Perú, Ecuador, Colombia) se da mucha importancia a las decisiones de grupo y a la gente no le gusta llamar la atención, aun en el caso de un trabajo muy bien hecho. El éxito es un trabajo del grupo que, en contraprestación, protege al individuo que lo hace posible.

En una cultura individual prima la eficacia sobre la lealtad, la competencia se establece entre individuos y se entiende que el conflicto puede ser productivo. Por el contrario, en una cultura en la que predomina el grupo, la lealtad es más importante que la eficacia, la competencia se establece entre grupos y trata de evitarse el conflicto. La vida personal y la profesional se mezclan, mientras que en las culturas individuales tienden a separarse.

4.5.3. Control de la incertidumbre

En esta dimensión cultural se trata de saber si la gente se siente amenazada por situaciones ambiguas, y trata de crear mecanismos para reducir o eliminar esas incertidumbres. Los países con alta tendencia a evitar la incertidumbre (Grecia, Portugal, Uruguay, Guatemala, Japón, Corea) desarrollan sistemas y reglamentos para que la gente sepa lo que tiene que hacer. Presentan síntomas de ansiedad y las decisiones las toman, generalmente, de forma colectiva. Por el contrario, las sociedades con baja tendencia a evitar la incertidumbre (Singapur, Suecia, Canadá, Estados Unidos) presentan estructuras más ligeras y las personas están dispuestas a asumir riesgos. Se acepta más fácilmente la crítica y se confía en la habilidad personal para resolver los problemas y obtener resultados positivos.

Las culturas con un control de la incertidumbre débil son flexibles (si las reglas no se aplican, se modifican), se basan en principios prácticos, se valora la originalidad y se evita la emotividad en las relaciones profesionales. En sentido inverso, en aquellas culturas que tratan de establecer un control fuerte sobre la incertidumbre, las reglas y procedimientos son rígidos, se aplican principios filosóficos, se sospecha de la originalidad y se acepta cierto grado de emotividad en las relaciones de negocios.

4.5.4. Masculinidad/feminidad

La «masculinidad» tiene lugar cuando los valores dominantes de una sociedad son el éxito, el dinero y la obtención de bienes. Esta dimensión contrasta con la «feminidad», cuyos valores dominantes son la preocupación por los otros y la calidad de vida.

En los países de orientación masculina (Japón, Austria, Venezuela, México) se aprecia el éxito, el reconocimiento, el progreso y el reto. El éxito se mide en términos de ganancias económicas y posición profesional.

En países con orientación femenina (Noruega, Dinamarca, Holanda, Francia) se da mucha importancia a tener un ambiente de trabajo agradable, así como a la cooperación y seguridad en el trabajo. El éxito se define en términos de relaciones humanas y calidad de vida.

4.5.5. La administración del tiempo: «tiempo M» y «tiempo P»

Otra dimensión cultural importante es el concepto que se tiene del tiempo y la forma de utilizarlo. En Estados Unidos y en algunas culturas europeas la puntualidad es importante, mientras que en otros países se permite cierto grado de impuntualidad.

CUADRO 4.6

Uso del tiempo por los ejecutivos

Culturas «monocrónicas» (tiempo M)	Culturas «policrónicas» (tiempo P)
— Se hace una sola cosa a la vez.	— Se hacen varias tareas simultáneamente.
— Los compromisos con las fechas y los plazos son prioritarios.	— Las fechas y plazos son un objetivo revisable.
— Compromiso con la tarea que se realiza.	— Compromiso con las personas que encargan la tarea.
— Se solicita y se valora disponer de mucha información.	— Interesa disponer de información hasta cierto punto.
— Se trabaja de forma metódica y a ritmo regular.	— Se trabaja de una manera intensa, pero a un ritmo no sostenido.
— Argumentos basados en cifras, causas y consecuencias.	— Argumentos basados en razonamientos.
— Respeto a las citas establecidas y puntualidad.	— Flexibilidad en las citas y en la puntualidad.

FUENTE: R. T. Hall.

Asimismo, el tiempo requerido para la consecución de acuerdos y las expectativas de obtención de resultados también difieren según las culturas. Por ejemplo, las negociaciones con japoneses y chinos requieren mucho tiempo, pero una vez tomada la decisión la puesta en práctica es muy rápida. Por el contrario, las empresas occidentales, aun cuando toman decisiones de forma rápida, tardan más tiempo en ponerlas en marcha.

También existen diferencias en la forma de administrar el tiempo: se habla de culturas «monocrónicas» (tiempo M), en las que las tareas o problemas se tratan de forma separada, y de culturas «policrónicas» (tiempo P), en las que diferentes actividades se realizan de manera simultánea. Alemania sería un ejemplo de las primeras y los países latinos (Francia, España) de las segundas.

CUADRO 4.7

Dimensiones culturales en nueve países de la Unión Europea

	Alemania	Francia	España	Italia	Grecia	Países Bajos	Portugal	Reino Unido	Suecia
Contexto cultural de la negociación Alto (A)/Bajo (B)	B	B	A	A	A	B	A	B	B
Distancia al poder Alta (A)/Media (M)/ Baja (B)	B	A	M	M	M	B	M	B	B
Indvidualismo (I)/Cultura de grupo (G)	I	I	I/G	I	G	I	G	I	I
Control incertidumbre Débil (D)/ Medio (M)/Fuerte (F)	M	F	F	M	F	D	F	D	D
Masculinidad (M)/Feminidad (F)	M	F	F	M	M	F	M	M	F
Administración del tiempo Monocrónicos (M)/Policrónicos (P)	M	M	P	P	M/P	M	P	M/P	M
Compromisos escritos (E)/ Compromisos verbales (V)	E	E/V	E/V	V	E/V	E	V	E/V	E

FUENTE: Adaptado de G. Hofstade y otros, *Cultures and Organizations.*

4.5.6. Compromisos verbales y escritos

Las culturas también difieren según la valoración que se haga de la confianza personal. En ciertas culturas el compromiso oral no se considera relevante, mientras que en otras la base del acuerdo es oral y constituye un compromiso personal.

Entre los hombres de negocios japoneses el acuerdo verbal tiene un gran valor. Por el contrario, en las culturas anglosajonas los compromisos escritos son obligados. Los negociadores chinos usan frecuentemente un memorándum para formalizar la relación y comenzar el inicio de las negociaciones, mientras que en las culturas occidentales ese documento podría considerarse un acuerdo firme.

5. Estilos de negociación

Objetivos del capítulo:

1. Proporcionar un modelo de clasificación cultural que ayude a entender el comportamiento de negociadores de diferentes culturas.

2. Comprender el significado y el uso del tiempo en las diferentes culturas.

3. Saber cómo afecta la cultura a la realización de concesiones y a la toma de decisiones en una negociación.

4. Definir las características de cada uno de los estilos de negociación internacional.

5. Señalar los rasgos que caracterizan a los negociadores europeos, americanos, asiáticos, árabes y africanos.

6. Proporcionar unas pautas para adaptarse a la cultura local del país en el que se negocia.

5.1.
Un modelo de clasificación cultural

Cualquiera que realice un viaje de negocios por primera vez a un país extranjero experimentará un sentimiento de desorientación que se explica sobre todo por las diferencias culturales entre el país que se visita y el propio. Este «choque cultural» puede provocar síntomas de depresión, euforia, superioridad, inferioridad, agresividad, soledad, miedo, etc. Es decir, alteraciones del estado anímico habitual de la persona que perjudican su capacidad negociadora e incluso pueden condicionar el éxito del trabajo que se va a realizar.

En este capítulo ofrecemos un modelo de clasificación cultural, cuyo objetivo es precisamente familiarizarse con los aspectos culturales que más afectan a una negociación entre personas de diferentes culturas. Se trata de proporcionar un esquema mental para que el negociador sepa identificar las diferencias culturales entre las distintas regiones del mundo y desarrolle las habilidades necesarias para adaptarse a ellas.

El modelo está basado en varios estudios y trabajos de investigación que profundizan en el comportamiento de los ejecutivos de diferentes países en las relaciones comerciales que establecen con ejecutivos de otros países; es decir, lo que se ha dado en llamar *estilos de negociación*. Entre estos estudios cabe destacar los realizados por M. Copeland y C. P. Schuster, que se recogen en su libro *Global Business: Planning for Sales and Negotiations,* los de los autores que forman parte del Training Management Corporation (TMC) y los de la Wharton Business School a través de su Export Network.

En este modelo de clasificación cultural se analizan las cinco variables que se consideran más significativas a la hora de marcar diferencias culturales en una negociación: el uso del tiempo, las relaciones personales/profesionales, las pautas de comunicación, las concesiones y acuerdos y la toma de decisiones. Los aspectos que se tratan en cada una de ellas son los siguientes:

— *Uso del tiempo.* La puntualidad en las citas, la orientación hacia el pasado, presente y futuro, así como el ritmo al que se desarrollan las negociaciones. Los extremos estarían representados por aquellas culturas que utilizan el tiempo de forma rígida (América del Norte) y las que son muy flexibles (Asia, países árabes).

— *Relaciones personales/profesionales.* Se valora la importancia que tiene la relación personal entre los negociadores —como en el caso de América Latina o países árabes— frente a otras culturas como la europea o la norteamericana, en la que prima la relación profesional.

— *Pautas de comunicación.* Se comparan las culturas que transmiten sus mensajes claramente y de forma verbal (América del Norte, Europa del Norte y del Centro) en contraposición a las que utilizan un lenguaje indirecto, en el que predomina la comunicación no verbal (Asia).

— *Concesiones y acuerdos.* Se analiza el momento en el que se otorgan las concesiones más importantes —a lo largo de todo el proceso de negociación, como en Estados Unidos o en los países árabes, o más bien al final, como en Asia—, los aspectos sobre los que se negocia, así como el significado y forma de los acuerdos.

— *Toma de decisiones.* La estructura de poder en las organizaciones, desde el individualismo propio de los países árabes y africanos hasta las decisiones consensuadas en China o Japón.

5.2.
Estilos de negociación por áreas geográficas

El mundo no se divide en bloques culturales claramente identificados y coincidentes con la situación geográfica de los países. La historia de la humanidad se ha desarrollado como una sucesión de imperios que han ido dejando su cultura y costumbres sociales en territorios dominados durante siglos. Esos territorios ocupaban continentes enteros o grandes partes de

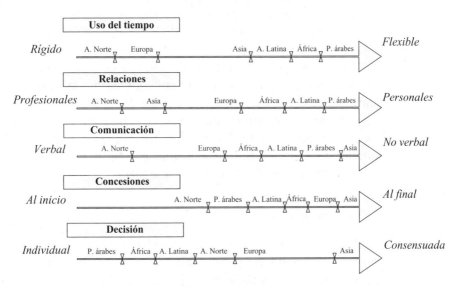

Figura 5.1.   Modelo de clasificación cultural.

continentes. Muchas de esas costumbres perviven hoy en día, aunque el dominio político haya desaparecido. Por otra parte, la mayoría de los ejecutivos internacionales tienden a pensar en términos de regiones geográficas más que en países concretos, sobre todo si éstos son pequeños. Se dice: «Voy a tratar de hacer negocios en América Latina o en Europa del Este». La agrupación de países en bloques económicos (Unión Europea, Nafta, Mercosur, Asean) apoya esta percepción. También es habitual que las divisiones internacionales de las grandes empresas estén organizadas por zonas geográficas. En línea con estas ideas hemos agrupado los estilos de negociación en seis áreas geográficas: Europa, América del Norte, América Latina, países árabes, Asia y África. Para cada una de ellas se ofrece un breve perfil de las cinco variables antes mencionadas.

5.2.1. Europa

Europa ha experimentado en los últimos años cambios radicales a través de la integración de la mayoría de sus países en la Unión Europea. No obstante, la cooperación económica no ha eliminado unas profundas diferencias culturales entre los países, y pasarán generaciones hasta que emerja

© Ediciones Pirámide

una auténtica cultura paneuropea. Es más, actualmente existen movimientos que fomentan las culturas regionales frente a las nacionales, por lo que en un mismo país —España o Italia son un buen ejemplo— la diversidad cultural es cada vez mayor.

Cualquier división cultural de Europa es arbitraria. La que se utiliza habitualmente, y quizá la más práctica a efectos de estilos de negociación, establece tres bloques de países: Europa del Norte y del Centro (países nórdicos, Alemania, Austria, Suiza, Bélgica, Holanda, Reino Unido y el área de París), Europa del Este (Rusia, Polonia, Hungría, República Checa, países bálticos, Rumanía y Bulgaria) y Europa mediterránea (Francia —excepto París—, Italia, España, Grecia y Portugal).

Uso del tiempo

Para los europeos del Norte y del Centro el uso del tiempo es rígido. Las reuniones tienen que empezar y terminar a la hora prevista. Los temas a tratar, el tiempo que se va a dedicar a cada uno de ellos y los objetivos se establecen previamente. Cuanto más se ajuste el desarrollo de la reunión a lo previsto, más satisfechos estarán y mayor grado de profesionalidad concederán a sus interlocutores. En la Europa mediterránea el tiempo es más fluido y las reuniones no se planifican con excesivo detalle. Es habitual que se produzcan algunos retrasos en las citas e interrupciones, a las que no debe darse la importancia que tendrían en otras culturas. Los asuntos esenciales tienen más importancia que los compromisos temporales. Un problema de última hora —de los que pueden surgir muchos— puede cancelar o retrasar una cita. Una característica de los negociadores de Europa del Este es que han desarrollado un sentimiento negativo respecto a los objetivos a largo plazo, como reacción ante décadas de economía planificada; por tanto, su horizonte temporal es, básicamente, el presente y si acaso uno o dos años.

Relaciones personales/profesionales

Europa valora la calidad de vida y, en ese sentido, la vida familiar, el tiempo de ocio y las vacaciones pertenecen al círculo privado de los individuos. Las relaciones personales no forman parte del entorno empresarial. Especialmente los británicos separan claramente su vida personal de la profesional. En general, los directivos europeos realizan su trabajo de acuerdo a las directrices y procedimientos de su organización sin verse influidos por cuestiones personales. La relación personal entre los negociadores no tiene excesiva importancia; lo que cuenta es la relación profesional entre las empresas. No obstante, cuando se realiza una negociación de alto nivel, aspectos tales como el estatus social, la formación en escuelas de negocios de reconocido prestigio o la práctica de ciertos deportes —especialmente el golf— ayudan a establecer una relación personal que no implica necesariamente amistad, como sucede en otras culturas.

Pautas de comunicación

Los estilos de comunicación varían mucho de un país europeo a otro. Los británicos tienden a ser indirectos y reservados, aunque hacen buen uso del sentido del humor. Los franceses tienen un estilo más directo, incluso de confrontación; les gusta involucrarse en discusiones intelectuales en las que creen partir con ventaja gracias a su sistema educativo, que prima el debate y el razonamiento. Los alemanes son los más formales: tratan de mantener las distancias con sus interlocutores, como si temieran que un trato más personal pudiera afectar al desarrollo de las negociaciones. En la Europa mediterránea el estilo de comunicación es más expresivo; la comunicación no verbal (gestos, movimiento de las manos, forma de sentarse) se utiliza mucho, como si quisiera enfatizarse la importancia de las relaciones personales en la consecución de los acuerdos. Los europeos del Este presentan grandes diferencias entre ellos, desde el estilo indirecto y modesto de los checos hasta un comportamiento muy directo y emocionalmente expresivo de rusos y polacos. En conjunto, la comunicación en Europa es formal. No se debe tener un comportamiento excesivamente expresivo o emocional, ya que podría suscitar sospechas. Una vez que se genera confianza, las formalidades desaparecen y la relación entre los negociadores es más fácil y duradera.

Concesiones y acuerdos

En Europa las posiciones de partida en una negociación se marcan por el poder de las partes que negocian. Se espera que la parte más débil ceda más y la más fuerte apenas haga concesiones. A partir de ahí, los negociadores europeos se sienten cómodos en una situación de conflicto. No se tiene confianza en la otra parte, ni se valora en exceso la información que se presente, salvo en algunos países del centro de Europa como Suiza o Alemania. Es habitual criticar los argumentos de la otra parte. No obstante, si éstos son buenos, el negociador europeo no tiene inconveniente en incorporarlos a los suyos en una fase posterior de la negociación, como si fueran propios. Las concesiones se van haciendo poco a poco, a lo largo de todo el proceso negociador. Si al final las posiciones no se acercan, la parte con más poder impondrá concesiones y se mostrará reacia a establecer compromisos más allá de aspectos puntuales de una operación. Por ello, los ejecutivos que negocien en Europa deben fijar de antemano la posición de ruptura y estar dispuestos a interrumpir las negociaciones si no se llega a un acuerdo en un plazo de tiempo corto. Cuando se produce el acuerdo, los pactos se plasman en contratos detallados y explícitos, con cláusulas restrictivas, que dejan poco margen a la ambigüedad o a la interpretación personal.

Toma de decisiones

En general, la toma de decisiones en Europa está bastante jerarquizada, si bien las estructuras empresariales varían mucho entre los distintos países. Conocer el poder que tiene el interlocutor en la empresa con la que se negocia es un factor crítico para el éxito de la negociación. En Alemania, por ejemplo, el control de las empresas lo ejercen comités en los que están representados los accionistas, los trabajadores y la dirección. Por debajo de estos comités hay varios niveles de técnicos expertos en cada área de la empresa. Esta complejidad organizativa, unida al carácter formal de los alemanes, hace que la toma de decisiones sea lenta. Por el contrario, en los Países Bajos la organiza-

CUADRO 5.1

Estilo de negociación en Europa

Continente fragmentado culturalmente en tres grandes áreas: Europa del Norte y del Centro (incluyendo París), Europa del Este y Europa mediterránea. Predominio de las culturas regionales frente a las nacionales

— Uso del tiempo rígido: puntualidad, detalle de los temas a tratar, orientación al corto plazo.

— Inicio de la relación a nivel profesional que puede convertirse en relación personal, aunque sin gran trascendencia para hacer negocios.

— Comunicación directa —se dice lo que se quiere decir— salvo en la Europa mediterránea.

— Concesiones a lo largo de toda la negociación. Los acuerdos se plasman en contratos detallados. Respeto a la ley en Europa del Norte y del Centro.

— Toma de decisiones jerarquizada en cada nivel operativo de la empresa. Es esencial conocer el poder de decisión de los interlocutores con los que se negocia.

ción concede más poder al individuo, lo cual agiliza la negociación. En el Reino Unido existe un gran respeto a los niveles de autoridad, heredado de la burocracia del Imperio británico. En la Europa mediterránea es habitual que las empresas las controlen un número muy reducido de personas, incluso una sola persona si se trata de empresas medianas o pequeñas. La toma de decisiones en la Europa del Este suele ser un proceso largo y difícil de entender para el negociador extranjero. Continuamente se tienen que confirmar los acuerdos con cada uno de los niveles burocráticos de la empresa.

5.2.2. América del Norte

La cultura de América del Norte —en la que se incluye a Estados Unidos y Canadá, si bien existen algunos rasgos distintivos entre ambos países— tiene sus raíces en Europa, sobre todo en el Reino Unido, Irlanda, Alemania y países escandinavos. Hoy en día la diversidad cultural es mucho mayor debido al crecimiento demográfico de los grupos étnicos y a la inmigración. Se estima que en los próximos años uno de cada tres norteamericanos pertenecerá a grupos étnicos, siendo el hispano el más numeroso. La asimilación de la cultura de los grupos étnicos supondrá un activo para América del Norte en una era de creciente globalización, pero también modificará su estilo de negociación, que, hoy por hoy, se inspira básicamente en los países de Europa del Norte y del Centro.

Uso del tiempo

En Norteamérica el tiempo se considera un recurso limitado que debe utilizarse de manera eficaz y rentable —*time is money* es una frase acuñada allí—. Los ejecutivos muestran una actitud de «prisa controlada». Sus agendas están llenas de citas y plazos que tienen que cumplirse inexorablemente. La orientación es a corto plazo; baste recordar que las compañías informan de sus resultados trimestralmente. El pasado y el largo plazo se consideran irrelevantes. En Estados Unidos la agilidad en las relaciones comerciales se considera una prioridad. Los canadienses actúan de una forma similar, pero muestran una actitud menos acelerada.

Relaciones personales/profesionales

En una cultura tan móvil como la norteamericana las relaciones personales reciben poca atención y son muy difíciles de mantener; todo lo más pueden establecerse relaciones superficiales *(casual acquaintances)*. Las reuniones de negocios comienzan con una breve conversación informal en la que no se tocan temas personales y en seguida se pasa a temas profesionales. Las actividades sociales se realizan, generalmente, una vez que se ha cerrado el negocio. Las relaciones se centran en las empresas y no en las personas que llevan a cabo la negociación. Por ello, establecer unas relaciones personales más estrechas no se considera un método efectivo para mejorar la posición negociadora. Además, pueden aparecer conflictos de intereses o cuestiones éticas que pongan en peligro la credibilidad de las personas que negocian. En el Canadá francófono se concede más importancia a las relaciones personales, que de llegar a lograrse pueden afectar positivamente al curso de las negociaciones. El trato inicial es más formal y reservado que en Estados Unidos o el Canadá anglófono. Es muy apreciado el esfuerzo que hagan los negociadores extranjeros por comunicarse en francés, aunque no dominen la lengua.

Pautas de comunicación

El lenguaje de los norteamericanos es claro, directo e informal. Predomina la comunicación verbal frente a la no verbal. Se trata de ser preciso y obtener resultados rápidos. Es frecuente el uso de expresiones coloquiales *(slang)* sin tomar en consideración el nivel de conocimiento del inglés que tiene el interlocutor. Se valora la libertad de opinión y se admiten las posturas enfrentadas y los desacuerdos. A menudo se considera que las situaciones de conflicto son positivas y pueden ser un revulsivo para hacer progresar las negociaciones. Es aconsejable mostrarse positivo y utilizar adjetivos que resalten aspectos como la calidad, garantía, tamaño, etc.; no se debe ser modesto en los planteamientos ni tampoco utilizar argumentos emocionales que podrían generar sospechas.

Concesiones y acuerdos

Teniendo en cuenta el elevado nivel de competitividad que existe en la cultura norteamericana, los negociadores tienen a gala ceder lo menos posible. La negociación comienza con una defensa clara de las posiciones de cada parte. Las primeras ofertas son algo mejores que las que se espera obtener finalmente, pero no muy alejadas de ellas. La expectativa es que al final ambas partes cederán algo. La negociación se centra en aspectos técnicos con abundancia de datos, gráficos, resultados, etc. Se espera que la otra parte tenga un nivel técnico apropiado y que sea sincera en los argumentos que utiliza. No se rehúye el conflicto, si bien se tiende a adoptar una actitud cooperativa que permita llegar a un acuerdo final fruto de la colaboración entre las partes. El enfoque de la negociación es secuencial. Los temas se negocian uno a uno. Una vez que se ha tomado una decisión sobre un aspecto del acuerdo, se pasa al siguiente.

Toma de decisiones

Las estructuras empresariales en Norteamérica tienden a ser planas con el objetivo de eliminar procedimientos burocráticos y dar poder a los empleados. Existen pocos niveles jerárquicos, si bien se respeta la autoridad de los directivos de nivel superior a la vez que se mantiene una relación profesional distante con los subordinados. El perfil profesional de los empleados se asocia a un área o función específica para la que se definen responsabilidades y objetivos. Esto es positivo, ya que el negociador extranjero establecerá relaciones con la persona en la empresa que tiene capacidad de negociación para los asuntos que se traten. En contrapartida, el directivo norteamericano espera que su interlocutor tenga también elevada autonomía y poder de decisión para cumplir el principal objetivo de la negociación, que no es otro que obtener resultados a corto plazo.

CUADRO 5.2

Estilo de negociación en América del Norte

Cultura pragmática inspirada en Europa del Norte y del Centro, pero con una creciente asimilación de los grupos étnicos, especialmente el hispano

— El tiempo es un recurso limitado. Actitud de «prisa controlada».

— La rapidez dificulta establecer relaciones personales, más allá de las relaciones superficiales *(casual acquaintances)*.

— Lenguaje directo, claro e informal, con abundancia de *slang*.

— Negociación cooperativa y secuencial, basada en argumentos técnicos. Pocas concesiones distribuidas a lo largo de todo el proceso.

— Decisiones individuales por niveles de responsabilidad en la empresa. Se espera que el interlocutor tenga el mismo poder de decisión.

5.2.3. América Latina

La herencia cultural aplicable a la forma de hacer negocios en América Latina procede de forma predominante de la Europa mediterránea, sobre todo de España, Portugal y, en menor medida, Italia. En algunos países de la zona existen también importantes poblaciones de origen centroeuropeo, como podría ser el caso de descendientes de alemanes en el sur de Chile. Por otra parte, durante las últimas décadas se ha producido una presencia masiva de las grandes multinacionales norteamericanas que han implementado sus procedimientos y técnicas de gestión empresarial. El empresario latinoamericano tiene una mezcla de recelo y admiración hacia su poderoso vecino del norte. Aparece un sentimiento nacionalista y la identidad cultural es un factor clave en las relaciones comerciales. Es chocante ver cuando se viaja en automóvil por América Latina que la señal de tráfico de *stop* conserva el mismo diseño y colores que la usada internacionalmente, pero se utilizan las palabras «pare» o «alto». Las tradiciones de la época colonial son todavía muy acusadas: las relaciones personales y familiares son estrechas, se valora la lealtad a las personas más que a las leyes o las instituciones, y las estructuras de poder están jerarquizadas. En este sentido, los negociadores europeos tienen ventaja sobre los norteamericanos, ya que les resulta más fácil adaptarse a la cultura local.

Uso del tiempo

Los ejecutivos latinoamericanos tienden a realizar diferentes tareas profesionales al mismo tiempo y, por otra parte, conceden gran atención a su vida familiar y social. Si a esto se añade la confianza como un elemento básico en las relaciones profesionales, tendremos la justificación de por qué existe tanta flexibilidad en el uso del tiempo. Es habitual que las citas de negocios comiencen con retraso y que se interrumpan por asuntos profesionales o personales que necesitan resolverse urgentemente. El cumplimiento de los plazos establecidos puede renegociarse y, en cualquier caso, dependerá de la antigüedad y de la confianza que se mantenga con el proveedor. El negociador extranjero puede verse afectado por el «síndrome del mañana», es decir, la actitud de dejar para mañana lo que se podría hacer hoy, enfatizada por el escritor español Mariano José de Larra en sus libros sobre la España de finales del siglo XIX. Por ello es importante que el negociador extranjero prevea dedicar más tiempo y obtener resultados a más largo plazo cuando realice negocios en esta zona del mundo que en Europa o América del Norte.

Relaciones personales/profesionales

Profundizar en las relaciones personales es esencial para hacer negocios en Latinoamérica. El contacto personal precede a la relación entre empresas. Ambos niveles deben trabajarse para tener éxito a largo plazo. La presentación o llamada en frío no suele ser una técnica efectiva. Debe dedicarse tiempo a entrar en contacto con la persona adecuada en cada empresa y, simultáneamente, conocer la burocracia local que determina los permisos, licencias o contratos necesarios para realizar el negocio. La conexión entre los asuntos personales y profesionales es muy fuerte. Esta forma de relacionarse incluye el intercambio de favores; lo que podría considerarse falto de ética e incluso corrupto en Estados Unidos o Europa del Norte se ve como natural en la cultura latinoamericana. La posición de una persona en la sociedad viene determinada por el poder que tiene para resolver asuntos a través de su red de contactos. Las personas toman decisiones y cierran negocios en nombre de sus empresas y organizaciones, pero las relaciones se establecen a nivel personal, no profesional. Las personas con más poder tienen un estatus superior conocido por todos, y esperan que se les trate con el respeto y consideración que su posición social les otorga.

Pautas de comunicación

Dado el nivel de alto contexto en el que se establecen las relaciones, el estilo de comunicación tiende a ser formal, indirecto, subjetivo, expresivo y, en ocasiones, argumentativo. Muchos de los mensajes que se transmiten se consideran implícitos en la actitud de los interlocutores. En el primer encuentro se debe mantener una actitud formal: los hombres no se quitan la chaqueta, a las personas se las llama por su apellido, se utilizan profusamente títulos profesionales (doctor, ingeniero) y se dedica una parte de la conversación a hablar de tópicos sociales como la familia, las vacaciones, deportes, gastronomía, etc. No es adecuado tratar temas sensibles como la religión, la política, aspectos históricos sobre la época colonial y la independencia, ni hacer chistes sobre las costumbres del país. El lenguaje que se utiliza es bastante elaborado, pero con expresiones suaves, sin caer en la exageración. Las carcajadas y los comportamientos emotivos no son apreciados. Es proverbial el gusto que tienen los latinoamericanos —especialmente los del Cono Sur— en entrar en conversaciones intelectuales sobre arte, literatura o historia. La elocuencia es un valor altamente considerado que refleja la posición social, a la vez que marca la capacidad intelectual y los conocimientos de las personas.

Concesiones y acuerdos

Los negociadores latinoamericanos utilizan una técnica de suave confrontación, tratando de evitar el desacuerdo directo que no tiene solución, a la vez que se respeta la posición de la otra parte. Al principio se busca obtener elevados beneficios que se van reduciendo de forma paulatina en el curso de la negociación. Cuando se logra una concesión es aconsejable reconocérselo a la otra parte como una iniciativa suya en vez de insistir en que se ha conseguido por los argumentos propios. La idea de compromiso no está muy arraigada en esta zona del mundo. Los contratos se perciben como un instrumento de trabajo más que como unos pactos que deben cumplirse a rajatabla. Por ejemplo, los plazos que se fijan en los contratos se consideran un objetivo deseable más que un compromiso definitivo en el tiempo.

Toma de decisiones

La cultura empresarial latinoamericana está muy jerarquizada. En general, los roles de las personas se determinan por aspectos tradicionales como la edad, el sexo y la antigüedad en la empresa. Los directivos tien-

CUADRO 5.3

Estilo de negociación en América Latina

Mezcla de la herencia colonial de la Europa mediterránea con la cultura empresarial introducida por las multinacionales norteamericanas.   **La identidad cultural es un factor clave. Ventaja del negociador europeo frente al recelo y nacionalismo que despiertan los norteamericanos**
— Tiempo flexible: simultaneidad de tareas, atención a la familia y a la vida social, generación de confianza.   — Conexiones entre asuntos personales y profesionales. Profundizar en las relaciones personales es clave.   — Lenguaje formal, elaborado e indirecto. Se valora la elocuencia y la capacidad para entrar en conversaciones intelectuales.   — Concesiones paulatinas a través de una suave confrontación. Se aconseja reconocer las concesiones a la otra parte como iniciativa suya.   — Cultura jerárquica: las decisiones se toman por poder e influencia, no necesariamente por conocimientos o competencias.

den a ser personas con muchos años de experiencia, casi siempre varones y muy bien conectados socialmente. Los jefes son tratados deferentemente. No es habitual que los subordinados propongan alternativas de mejora ni que influyan en las decisiones de sus superiores. Para los jefes consultar a sus empleados puede ser un síntoma de pérdida de credibilidad. La delegación y el trabajo en equipo no son el camino normal para hacer negocios. Los jefes toman las decisiones y los subordinados siguen las instrucciones sin realizar muchas preguntas. Una consecuencia de este distanciamiento entre los niveles jerárquicos es que la información sólo se proporciona a aquellos que toman decisiones. A veces, sucede que las personas que participan en una negociación han sido asignadas por su poder o influencia en la empresa y no necesariamente por sus conocimientos o competencias sobre el tema que se negocia.

5.2.4. Asia

Hasta bien entrado el siglo XX los países asiáticos permanecían en un modelo económico basado en la agricultura, sin contacto con el exterior, más propio de la Edad Media que de la Revolución Industrial. Las dificultades para sobrevivir, así como el carácter local de las relaciones económicas, desarrollaron un espíritu de clan que, hoy por hoy, sigue siendo el factor cultural más significativo a la hora de entablar negociaciones comerciales con los países de la zona. A medida que se pasó a una sociedad industrial y, más recientemente, ciertos países (Japón, Singapur) a una sociedad de servicios, se han ido adoptando ciertas pautas de comportamiento de la cultura occidental.

Aunque al negociador occidental pueda parecerle que la cultura asiática es homogénea, fruto quizá de una similitud en el paisaje urbano de Hong Kong, Singapur o Tokio, nada más lejos de la realizad. Si bien parte de un núcleo común —que tiene su origen, principalmente, de China—, cada país ha desarrollado unas características nacionales propias. Por otra parte no es presumible que a medio plazo los países se vayan aproximando unos a otros, como ha ocurrido en Occidente. Basta recordar que ASEAN (Asociación de Países del Sudeste Asiático), el único proceso de integración que existe en la zona, a pesar de fundarse en 1967, ha avanzado poco y, además, no incluye a las grandes potencias económicas asiáticas como China, Japón, India y Corea del Sur. Una muestra de la diversidad cultural son las diferencias entre los negociadores japoneses y los chinos.

CUADRO 5.4

Negociaciones en China y en Japón

Negociadores japoneses	Negociadores chinos
— Son impasibles: las emociones no deben demostrarse.	— Son variables: pasan del entusiasmo a posiciones defensivas.
— Valoran el beneficio total de un negocio o relación comercial.	— Necesitan obtener un beneficio económico en cada transacción.
— Son muy corteses en la negociación. Utilizan mucho los silencios.	— Son más agresivos. Son los negociadores que más preguntan.
— Consideran que establecer relaciones personales duraderas es más importante que la firma de un contrato.	— Las relaciones personales no son esenciales para hacer negocios.
— Además del precio, valoran sobre todo la calidad y la fiabilidad.	— Negocian el precio por encima de cualquier otra consideración.

Uso del tiempo

En las zonas más desarrolladas de Asia los ejecutivos actúan en tiempo M, es decir, realizan las tareas de forma separada. La puntualidad es apreciada. La orientación es generalmente hacia el largo plazo, por lo que hay un gran interés en conocer a la compañía y a las personas con las que se va a hacer negocios. En consecuencia, las negociaciones son largas. El negociador extranjero tiene que ser paciente; no conviene apresurarse en negociar precios o condiciones de entrega. En las negociaciones de cierto nivel se dedica bastante tiempo a actividades sociales (comidas, espectáculos), si bien esto no es indicativo de que el negocio vaya a cerrarse más fácilmente. A pesar de la orientación a largo plazo, es importante tener en cuenta que el éxito inicial puede desaparecer si surge un competidor local con una oferta equiparable. Una vez que se ha desarrollado una relación entre ambos, el negocio que tenían con el proveedor extranjero se transferirá rápidamente al proveedor local.

Relaciones personales/profesionales

Establecer relaciones adecuadas en Asia es un requisito esencial para hacer negocios, es como traspasar la puerta del estadio antes de acceder al campo donde se va a jugar el partido. La interdependencia entre el gobierno, las compañías públicas y los grandes grupos empresariales crea un entramado de relaciones al que es difícil acceder. En la organización de las sociedades asiáticas prima las relaciones profesionales sobre las personales. La toma de contacto y las presentaciones se realizan a nivel oficial. Es muy frecuente organizar misiones comerciales de alto nivel y encuentros empresariales con presencia de miembros de los gobiernos respectivos. En Japón son útiles los contactos que se establecen a través de JETRO (Japan External Trade Organization), el organismo del gobierno japonés encargado de promover el comercio exterior. Una vez que se ha realizado el contacto, se trata con diferentes personas cuya posición en las organizaciones es cambiante, por lo que a medio plazo es muy difícil mantener relaciones personales duraderas.

Pautas de comunicación

Para los asiáticos la formalidad es una norma de conducta, sobre todo con aquellos que no forman parte de su grupo; entre ellos, los negociadores extranjeros. Los mensajes verbales no tienen el mismo significado que en Occidente. En China un «sí» no implica compromiso, sino más bien el deseo de agradar a la contraparte para mantener el proceso de negociación. En Japón la expresión «lo consideraremos» quiere dar a entender que la propuesta se desestima. El lenguaje es indirecto y controlado; el tono de voz, bajo; se evita el enfrentamiento con la otra parte; no está bien visto mirar fijamente al interlocutor, ya que puede interpretarse como un signo de agresividad.

Concesiones y acuerdos

Los asiáticos consideran la negociación de un acuerdo como un todo, más que como acuerdos sobre aspectos parciales que se pactan a lo largo del proceso. Si a esto añadimos el hecho de que, generalmente, se trata de grandes empresas que quieren obtener tanta información como sea posible antes de decidir y que las decisiones se toman de forma consensuada, el proceso será largo y las concesiones se realizarán sobre todo al final. En Japón es habitual realizar concesiones de pequeña importancia al inicio del proceso como gesto de buena voluntad. En Corea del Sur la posición de partida es muy distante de la posición de ruptura, por lo que se espera que las partes hagan muchas concesiones. Los chinos agotan el tiempo de negociación, y cuando el acuerdo está próximo solicitan una concesión final. Los contratos y acuerdos que se firmen no tienen el mismo valor que en Occidente. En

China los contratos significan el comienzo de unas relaciones que se van a negociar de forma permanente, más que la culminación de un proceso negociador. Para los japoneses, un contrato significa un acuerdo de mínimos que pueden ampliarse o modificarse si las circunstancias cambian.

Toma de decisiones

El gran tamaño de las empresas asiáticas (las *Sogo-Shoshas* y los *Kereitsus* en Japón, los *Chaebols* en Corea o las compañías estatales de comercio exterior en China) hace que las estructuras estén muy jerarquizadas, con varios niveles de decisión. Los ejecutivos de niveles inferiores deberán reportar a sus superiores y demostrar su capacidad para obtener un buen acuerdo. Los negociadores extranjeros tienen que participar en reuniones con diferentes grupos de trabajo. Cada grupo será experto en una determinada área de negocio, y se espera que la otra parte tenga también un elevado nivel de especialización y conocimientos técnicos. Al necesitar la aprobación de varios estamentos, el proceso de negociación se alarga, lo cual puede provocar un cambio en las posiciones de partida. Una vez que la decisión se ha tomado, la implementación del acuerdo comienza rápidamente.

CUADRO 5.5

Estilo de negociación en Asia

Cultura basada en el espíritu de clan, propia de sociedades cerradas y agrícolas hasta la segunda mitad del siglo XX. Falsa idea de homogeneidad
— Uso occidentalizado del tiempo (puntualidad, tiempo M), pero con orientación a largo plazo.
— Utilidad de las relaciones oficiales para penetrar en un entramado formado por los gobiernos, las compañías públicas y los grandes grupos empresariales. Relaciones personales poco efectivas por la posición cambiante de las personas que integran las organizaciones.
— Lenguaje indirecto y controlado. Se evita la agresividad. Los mensajes verbales no tienen el mismo significado que en Occidente.
— Concesiones sobre todo al final. Los acuerdos son el inicio de las relaciones, no la culminación de las negociaciones.
— Decisiones consensuadas que necesitan la aprobación de varios estamentos.
— Implementación rápida de los acuerdos.

Si bien las negociaciones en Asia suelen ser largas y complejas, en China están surgiendo muchas empresas privadas fruto de la iniciativa de empresarios individuales. En la negociación con estas empresas las decisiones son muy rápidas, ya que el empresario tiene un control total de la empresa y debe aprovechar el dinamismo que impera en la economía.

5.2.5. Países árabes

Un aspecto que tiene que quedar claro cuando se negocia en los países árabes es que cultura y religión son inseparables. Todos los países árabes, excepto el Líbano, reconoce el islamismo como religión oficial. Aproximadamente el 90% de las personas que viven en estos países son musulmanes. Para entender el comportamiento de los árabes es esencial conocer y profundizar en los preceptos básicos del Islam, que se contienen en los Cinco Pilares. Los musulmanes creyentes cumplen estrictamente estos principios y los aplican en su relación con otras personas. La religión es una fuerza permanente y pujante, que tiene efectos muy significativos sobre los procesos de venta y de negociación en esta zona del mundo. De ahí la importancia que tiene para el negociador extranjero conocer la religión musulmana y respetar sus principios.

CUADRO 5.6

Los Cinco Pilares del Islam

Shahada	Profesión de fe. Alá es el único Dios y Mahoma es su Profeta.
Salat	Ritual de rezos, cinco veces al día.
Zakat	Limosna a los pobres.
Ramadán	Ayuno durante el noveno mes del calendario musulmán, desde el amanecer hasta la puesta de sol (cuando no se pueda distinguir un hilo blanco de uno negro).
Hajj	Visitar la ciudad santa de La Meca (Arabia Saudí) al menos una vez en en la vida.

Por otra parte, el mundo árabe está sufriendo una tensión enorme, fruto del enfrentamiento entre la modernidad y las tradiciones religiosas. No hay que olvidar que las élites intelectuales y profesionales han sido educadas en Occidente —la influencia de la cultura anglosajona es singularmente importante en Egipto, Arabia Saudí o Jordania, mientras que la cultura francesa pervive en Marruecos, Túnez, Argelia y Líbano—. Sin embargo, el enfrentamiento no se produce tanto entre los países árabes y Occidente, sino más bien internamente en cada país, entre los poderes seculares —representados por las familias tradicionales— que propugnan una menor influencia de la religión en los asuntos de Estado y los fundamentalistas, que exigen la aplicación más estricta de los principios del Islam en todos los ámbitos políticos y sociales.

Uso del tiempo

La cultura árabe está orientada al pasado. Se preservan las tradiciones y las costumbres en contraposición con el progreso y el cambio. El Ramadán no es buena época para hacer negocios. Durante un mes las tareas del trabajo se interrumpen para practicar los rezos. Para los musulmanes, el tiempo está en las manos de Dios. Pasado, presente y futuro se rigen por el espíritu divino. Lo que tenga que ser será, de acuerdo a la voluntad de Dios. Por ello existe una gran incertidumbre en cuanto al cumplimento de los compromisos temporales. La puntualidad no es un valor muy apreciado. El negociador extranjero tiene que ser paciente y flexible en el uso del tiempo. No se debe mostrar prisa, ni mirar el reloj, ni mucho menos presionar para conseguir acuerdos rápidamente. Un antiguo proverbio árabe dice que «la prisa la trae el demonio». Cualquier demostración de impaciencia será muy mal vista e impedirá al negociador extranjero alcanzar objetivos y desarrollar su red de contactos en el país. Tampoco debe presionarse para conseguir decisiones rápidas. El negocio se realizará *Insha'allah* («si Dios quiere»).

Relaciones personales/profesionales

Los negociadores árabes operan con un sistema de valores que antepone las relaciones personales a las profesionales. No obstante, a diferencia de otras culturas tradicionales como las de América Latina o Asia, en el mundo árabe las relaciones personales que cuentan son las familiares —«las relaciones de sangre»—. Esta actitud tiene su origen en la religión musulmana, que enfatiza la importancia de hacerse responsable de los miembros de la familia y de las personas de la misma fe. Conseguir el acceso a una empresa a través de un familiar de los propietarios es decisivo para el buen fin de la negociación. Persuadir a la otra parte de las ventajas de nuestra oferta no es tan importante como en los países occidentales. Para los árabes el beneficio económico será una consecuencia de haber establecido unas buenas y sólidas relaciones comerciales con el proveedor o socio extranjero. En el transcurso de la negociación puede insinuarse que parte del negocio que se derive de un contrato (transporte de las mercancías, servicios financieros, asesores, etc.) se adjudique a otras empresas del grupo familiar.

En las reuniones de negocios los árabes muestran una gran hospitalidad. Esta costumbre se deriva de la tradición de los beduinos que acogían a los visitantes durante tres días para que descansaran de la dureza del viaje y del rigor del clima. Se ofrece café, té, refrescos, comida, que deben ser compartidos por los negociadores. Es habitual también el intercambio de regalos. No obstante, la hospitalidad no implica un deseo de establecer relaciones personales a largo plazo o de cerrar negocios.

Pautas de comunicación

La cultura árabe es formal en la fase de presentaciones. El encuentro comienza con saludos bastante elaborados en los que se introduce a las personas por sus títulos, se intercambian tarjetas y se pregunta acerca del viaje, el hotel, las comodidades del país, etc. En una cultura de «alto contexto» como ésta, la comunicación no verbal es muy importante. Los gestos son dramáticos, el lenguaje se exagera en contenido y tono y se mira directamente a los ojos. Las personas se sientan muy cerca unas de otras, y es un signo de cortesía tocar a la persona con la que se habla. En la conversación se evitan las preguntas personales y las discusiones sobre política y religión. El tono de voz está directamente relacionado con la posición social y la influencia familiar de la persona que habla. Los argumentos que se utilizan en la negociación son muy expresivos, sobre todo en la práctica del regateo. El visitante extranjero debe abstenerse de hacer comentarios elogiosos sobre muebles u objetos que se encuentren en las oficinas o casas que visita, ya que sus ocupantes pueden verse obligados a regalárselos según establece la tradición.

Concesiones y acuerdos

El regateo es la forma habitual de realizar concesiones en los países árabes. Los precios de salida están muy alejados de lo que se espera conseguir a lo largo de la negociación. Es habitual que ante las primeras ofertas el negociador árabe utilice frases como: «este precio es un insulto» o «para ofrecerme estos precios no me moleste», si bien lo que se quiere transmitir es que hay intención de comprar si los precios bajan significativamente. Se aprecia a los negociadores que saben regatear siempre que sean agradables de trato y no ofendan a la contraparte. Los compromisos verbales son difíciles de valorar. Las personas que negocien en países árabes deberán desarrollar toda su habilidad para confirmar si un «sí» es realmente una afirmación, un «quizá» o más bien un «no». En cualquier caso, un «sí» sólido siempre conllevará un alto grado de incertidumbre. En cuanto a los contratos, la actitud es similar a la de la cultura china: se consideran el principio de una relación que tendrá que concretarse en el futuro, más que unos acuerdos definitivos fruto de un proceso negociador. Los objetivos, plazos, costes, etc., deberán concretarse en función de las circunstancias de cada momento.

Toma de decisiones

La estructura de poder en las organizaciones árabes está muy jerarquizada. Las decisiones las toma el jefe máximo. Una vez más esta costumbre se deriva de la religión: en el Islam no existen intermediarios entre Alá y los humanos. Por ello los negociadores extranjeros, pronto o tarde, tendrán que

CUADRO 5.7

Estilo de negociación en los países árabes

Cultura y religión son inseparables: es necesario profundizar en los aspectos básicos del Islam (Cinco Pilares). Enfrentamiento entre los poderes seculares (familias tradicionales) y los fundamentalistas
— Tiempo flexible y orientado al pasado. No demostrar impaciencia: «La prisa la trae el demonio». — Las relaciones que cuentan son las familiares («relaciones de sangre»). Gran hospitalidad con el visitante (tradición beduina) que no implica deseo de hacer negocios. — Comunicación no verbal: gestos dramáticos, mirada directa a los ojos, proximidad y contacto físico. Abstenerse de hacer comentarios elogiosos sobre muebles u objetos. — Concesiones basadas en el regateo durante todo el proceso. Compromisos verbales difíciles de valorar: un «sí» sólido siempre es algo incierto. — Jerarquía máxima: pronto o tarde el negociador tendrá que hablar con el líder de la organización (no hay intermediario entre Alá y los humanos).

entrevistarse con el líder de la organización. Esas entrevistas se someterán a un protocolo, difícil de entender de acuerdo a las costumbres occidentales. Es aconsejable hacer presentaciones breves y con contenidos visuales. Hay que tener en cuenta que los ejecutivos de alto nivel no tienen un perfil técnico; deciden por cuestiones estratégicas o personales más que por los detalles de las ofertas o acuerdos que les presentan. Los subordinados les asesoran y se encargan de preparar la documentación necesaria para la toma de decisiones. En los países árabes los jefes establecen una relación paternal con los empleados, cuidan de ellos, a cambio de confianza y lealtad. En este sentido, no es una buena táctica tratar de influir en las personas que no tienen poder de decisión.

5.2.6. África

En el proceso de globalización, África —en concreto, el África subsahariana, a la que nos referimos en este apartado— es el continente olvidado. Acosada por el hambre, las epidemias, el analfabetismo, la inestabilidad política y las guerras tribales, y en una situación financiera de bancarrota, aparentemente poco tiene que ofrecer al vendedor o inversor extranjero, con la excepción de la República de Sudáfrica, que ha pasado a integrarse en el grupo de los países emergentes. Una de las dificultades de identificar un estilo de negociación en esta zona es el gran número de países que la conforman, más de cuarenta, fruto de los procesos de descolonización. Si se observa el mapa de África, parece que la división territorial de países se hizo trazando líneas rectas o por accidentes geográficos (ríos, cadenas montañosa) más que en atención a las circunstancias históricas de cada país. Por ello, las diferentes culturas deben asociarse más a antiguos reinos o tribus (existen más de 3.000) que a las fronteras nacionales. La cultura africana es una extraña mezcla de costumbres ancestrales y valores de Occidente heredados de la época colonial.

Uso del tiempo

El tiempo es una de las pocas cosas abundantes en África. Mostrar prisa puede provocar rechazo o desconfianza. Se tiene el concepto del pasado y del presente, pero no del futuro. Los negociadores se concentran en lo que está sucediendo ahora, todo lo más en el corto plazo. La planificación y el futuro no existen. Los asuntos deben tratarse uno a uno, de lo contrario puede transmitirse una falta de seriedad.

Relaciones personales/profesionales

El trabajo no es el centro de la vida en África; prima la vida personal y familiar. El negociador extranjero debe dedicar tiempo a desarrollar relaciones personales. En este ámbito existe un alto de grado de formalidad, pero también de hospitalidad. El negociador extranjero no debe mostrar un comportamiento de superioridad ni mencionar el atraso de África, ya que los africanos están muy orgullosos de sus países. Teniendo en cuenta que muchas de las operaciones que se hacen en África tienen como destinatario el sector público, es necesario establecer una red de contactos con funcionarios de ministerios y compañías estatales o bien llegar a ellos mediante agentes locales que tengan las debidas conexiones.

Pautas de comunicación

La comunicación en África es de «alto contexto», indirecta y poco expresiva. La educación y el protocolo se valoran positivamente; en las presentaciones se utilizan títulos profesionales. Los africanos son muy cuidadosos en sus comentarios: a menudo dicen a sus interlocutores aquello que piensan que quieren escuchar para no correr el riesgo de hacer comentarios inconvenientes. En el ámbito personal son más bien reservados; no transmiten demasiadas emociones ni expresan pensamientos sobre temas profundos. Prefieren que la conversación se mantenga en un tono banal. No es adecuado entrar en conversaciones de tipo político o religioso, ya que podría herirse la sensibilidad de la otra parte.

Concesiones y acuerdos

En la mayoría de los países del África subsahariana, especialmente en las antiguas colonias británicas, las concesiones se hacen lentamente durante el proceso negociador. El aspecto esencial de la negociación es el precio. Una táctica común utilizada por los compradores para pedir rebajas en los precios es aludir a las ofertas de los competidores. En la petición de concesiones se utiliza un lenguaje directo, y es habitual que la parte que las conceda muestre una actitud de disgusto. Los contratos no tienen excesivo valor y, por esta causa, no se detallan en exceso. Son más importantes las relaciones personales y los compromisos verbales. La debilidad del los sistemas judiciales hace difícil plantear reclamaciones por incumplimiento en las cláusulas de un contrato.

Toma de decisiones

Las decisiones en África se toman de forma autoritaria y centralizada por el jefe de la organización, al que, en ocasiones, se conoce como *Big Man*. La autoridad no se cuestiona. La lealtad y la confianza entre jefes y empleados son muy valoradas y desempeñan un papel importante en la toma de decisiones. Existe un nivel de corrupción generalizado. La consultora norteamericana Transparency Internacional suele adjudicar los primeros lugares de su *ranking* de países más corruptos a países africanos. El hábito de prácticas corruptas se asocia a las presiones de los clanes familiares y a costumbres tribales. Las normas que se derivan de la cultura tribal pueden llegar a ser más importantes que la normativa que se establece en los códigos legales del país.

CUADRO 5.8

Estilo de negociación en África

Mezcla de culturas ancestrales y valores de Occidente heredados de la época colonial. Culturas asociadas a antiguos reinos o tribus más que a fronteras nacionales rectilíneas
— Tiempo flexible y secuencial. La planificación y el futuro no existen
— Importancia de los contactos con funcionarios y agentes locales. En las relaciones personales deben evitarse actitudes de superioridad.
— Comunicación indirecta y poco expresiva: la educación y el protocolo se valoran positivamente.
— Práctica de las concesiones a lo largo de todo el proceso basadas en las mejores ofertas de la competencia. Se piden directamente. Se adopta una actitud de disgusto cuando algo se concede.
— Decisiones autoritarias y centralizadas en el jefe de la organización *(Big Man)*.
— Corrupción generalizada.

5.3.
Claves para la adaptación a la cultura local

Es imposible resumir, ni siquiera parcialmente, las diferencias culturales que existen entre los distintos países y regiones. El objetivo del modelo que hemos expuesto no es otro que relacionar la cultura propia con las otras culturas de tal forma que el negociador internacional conozca los aspectos dominantes de la otra parte y sepa identificar los puntos de conflicto que pueden surgir. Con ello se estará en condiciones de adaptarse a las pautas culturales del país que se visita y de estrechar las relaciones personales y profesionales con los interlocutores.

En cualquier caso, sí pueden ofrecerse unas pautas de comportamiento homologables a todas las culturas, en términos de lo que debe hacerse y lo que no debe hacerse.

Entre los comportamientos positivos, los más recomendables son:

— Aceptar la idea de ser extranjero: no es necesario renunciar a los hábitos del país de origen.
— Buscar el equilibrio con el interlocutor: no debe adoptarse una posición de inferioridad en los países más desarrollados o de superioridad en los más pobres.
— Ser paciente a la vez que perseverante: hay que aceptar el ritmo de negociación del país que se visite y estar preparado para obtener resultados a largo plazo.
— Fomentar las relaciones personales: no se trata sólo de hacer negocios, especialmente en las culturas más tradicionales.
— Mantener la integridad: conocer los límites propios y no sobrepasarlos. No juzgar los límites ajenos.

Algunos de los comportamientos negativos que deben evitarse son:

— Asumir similitudes: dar por hecho que ciertos comportamientos de la cultura propia son similares a los de la cultura del país que se visita.
— Imitar actitudes: adaptarse a la otra parte no significa adoptar su cultura.
— Evaluar las otras culturas en términos de «bueno» o «malo».
— Comparar continuamente la otra cultura con la propia.
— Realizar comentarios (sobre religión, política, nivel de desarrollo, etc.) que puedan herir la sensibilidad del interlocutor.

El primer paso para integrar la cultura en las habilidades negociadores es ser consciente de la importancia que puede tener para el éxito del proceso negociador. A continuación, el ejecutivo internacional debe profundizar en el estudio de la cultura de aquellos países donde pretenda realizar negocios.

Hay que tener en cuenta que el dicho de «cuando vayas a Roma haz lo que vieras» no siempre debe aplicarse a rajatabla.

CUADRO 5.9

Sobre los romanos

En Roma hay romanos y no romanos
Hay un límite en la imitación del romano
Hay costumbres del romano que no se le permiten al que no es romano
Se puede encontrar al romano fuera de Roma
El romano no siempre muestra su aspecto real

6. El protocolo en los negocios internacionales *

Objetivos del capítulo:

1. Subrayar la importancia que tiene el respeto a las normas de protocolo en una negociación internacional.

2. Saber cómo saludar, hacer presentaciones y usar nombres y títulos en las diferentes culturas.

3. Proporcionar algunos consejos a tener en cuenta en las comidas de negocios que tienen lugar en el extranjero.

4. Poner de manifiesto el significado de ciertos colores, formas y gestos en determinadas culturas.

5. Orientar sobre la práctica de hacer regalos entre empresas de distintos países.

* Este capítulo ha sido revisado por Gonzalo Ortiz Díaz de Tortosa, diplómatico español destinado en las embajadas de España en Alemania, Japón, China, Brasil y Australia, al cual agradecemos su colaboración.

6.1.
Introducción

Cuando se realizan negocios en un país extranjero es necesario tener un cierto conocimiento de las reglas y comportamientos que se consideran aceptables en las relaciones sociales y profesionales. La cultura y la tradición de cada país hacen que las personas se comporten de manera distinta, y si el negociador internacional no sabe adaptarse a ese comportamiento puede provocar un rechazo en la contraparte que dificulte o, incluso, ponga en peligro el éxito de sus gestiones. En este capítulo vamos a describir algunos de los comportamiento más habituales en siete aspectos relacionados con el protocolo internacional: la forma en la que se realizan las presentaciones, el uso de nombres y títulos, el intercambio de tarjetas profesionales, las reglas de comportamiento durante las comidas, las propinas, el significado de los colores, formas, gestos y la práctica de ofrecer regalos.

6.2.
Saludos y presentaciones

En el primer encuentro con una persona de otro país se debe tener especial cuidado y prestar mucha atención a lo que se hace y se dice. La primera impresión sólo se produce una vez, pero se suele recordar durante mucho tiempo. En las palabras de saludo y de despedida es muy positivo utilizar expresiones del idioma del interlocutor, aunque no se conozca. Con ello se transmitirá el interés que se tiene por aprender cuestiones relativas a su cultura. Cuando se utiliza el inglés hay que tener en cuenta el grado de formalismo, desde el *How do you do?* de los británicos al menos formal *How are you?* o, incluso, *Hi?* de los norteamericanos; la respuesta al primero es igualmente *How do you do?*, mientras que al segundo es *Fine, thank you* o *I'm pleased to meet you*. Estas expresiones son realmente un ritual y no debe pensarse que se nos está preguntado acerca de ¿cómo estamos? (traducción literal) y que, por tanto, debe responderse con una descripción de nuestro estado de salud.

La distancia física entre las personas que se saludan también es diferente. En el mundo occidental la distancia es, aproximadamente, un metro y medio, de tal forma que puedan darse la mano sin necesidad de dar un paso adelante. En las culturas asiáticas la distancia es mucho mayor, mientras que en los países árabes tiende a ser más corta —se dice que la distancia apropiada es aquella que permite que el aliento de la otra persona se sienta en la cara—. Es importante resaltar que no se debe ofender a nuestro interlocutor dando un paso atrás si éste permanece demasiado cerca.

Como reza el título de uno de los libros más completos sobre protocolo en los negocios internacionales —*Kiss, Bow, or Shake Hands*, de T. Morrison, W. Conaway y G. Borden—, existen tres posibilidades para saludar físicamente a nuestros clientes extranjeros: el beso, la reverencia o el apretón de manos.

La cultura occidental se ha impuesto en este aspecto, e incluso en países donde el beso o la reverencia es lo habitual entre compatriotas se utiliza el apretón de manos como forma de saludo y despedida con negociadores occidentales.

La intensidad del apretón de manos difiere entre los países. Por ejemplo, en Alemania, Estados Unidos y Japón es muy fuerte. En el Reino Unido es más blando. En Francia es ligero y rápido (no más de tres segundos). En Asia es suave, excepto en Corea, en que es más firme. En los países árabes es suave y largo (hasta 10 segundos). En casi todos los países el apretón de manos suele acompañarse de una ligera inclinación de cabeza.

La práctica del beso está poco extendida en los negocios internacionales. En los países árabes es muy frecuente entre hombres de negocios o con amigos y familiares, pero no con negociadores extranjeros. En los países latinos se utiliza entre mujeres, y entre mujeres y hombres cuando ya se conocen. No son besos en realidad, sino contactos entre las mejillas (*les bises*, en francés); tres en Francia y dos en España, Italia y América Latina.

La reverencia es la forma más usual de saludo en Japón y, algo menos, en China. En ambos países se combina con el apretón de manos, de tal forma que cada cultura muestra el respeto que se tiene a otras culturas. El grado de inclinación en la reverencia muestra el estatus que se concede a la otra parte. Para los occidentales, lo más adecuado es responder con una suave inclinación. Al hacer la reverencia debe mantenerse la mirada baja y colocar las palmas de las manos al costado de las piernas. Las mujeres deben colocar las manos cruzadas de frente.

CUADRO 6.1

Consejos para un apretón de manos internacional

> ➢ El protocolo internacional establece que hay que dar la mano a todos los presentes; las omisiones se notan y son consideradas como un rechazo.
>
> ➢ Las mujeres deben tomar la iniciativa, salvo con personas de mayor rango, extendiendo la mano tanto a hombres como a mujeres.
>
> ➢ En los países centroeuropeos hay que dar la mano al reencontrarse, aunque el tiempo de separación haya sido corto (por ejemplo, después de la comida).
>
> ➢ Los japoneses se dan la mano con gesto firme. El apretón de manos se acompaña de una ligera inclinación de cabeza o reverencia, que debe corresponderse. Con ello se muestra un respeto por la otra parte.
>
> ➢ En los países árabes el apretón de manos es menos firme y dura más tiempo; retirar la mano demasiado pronto puede interpretarse como un rechazo.
>
> ➢ En América Latina también se utiliza un apretón de manos largo. Cuando los interlocutores ya se conocen suele acompañarse con un abrazo y dos palmadas en la espalda.

6.3.
Nombres y títulos

Uno de los aspectos más delicados en el protocolo internacional es el uso de nombres, apellidos y títulos profesionales. Cuanto más lejana es la cultura, más diferencia habrá en este sentido. En las culturas más tradicionales, como la china o la japonesa, deberá llamarse siempre a las personas por su apellido; en Estados Unidos o el Reino Unido rápidamente se utilizan los nombres propios o abreviaciones de éstos (Tom para Thomas, Will para William o Bob para Robert), mientras que en Alemania, Italia y América Latina es común anteponer el título profesional al apellido.

En los países asiáticos (China, Japón, Corea) el orden de los nombres y apellidos es el contrario al que se utiliza en Occidente. Primero el apellido, luego el nombre generacional y en tercer lugar el nombre propio. Por ejemplo, en el nombre de Chang Wu Jiang, Chang es el apellido, Wu es el nombre generacional y Jiang es el nombre propio. La manera correcta de dirigirse a esta persona es Mr. Chang, no Mr. Jiang.

Los nombres árabes y rusos, si bien siguen el mismo orden que en Occidente (nombre propio primero y apellido después), tienen la particularidad de intercalar un nombre patronímico —derivado del nombre de la familia— entre ambos. Por ejemplo, en el nombre árabe de Shamsaddin bin Saleh Al Batal, el nombre propio es Shamsaddin, el nombre patronímico es bin Saleh, que significa hijo de Saleh, y el apellido es Al Batal. Siguiendo la misma regla, en el nombre ruso Sergei Mijailevich Tachenko, Sergei es el nombre propio, Mijailevich es el patronímico, que significa hijo de Mijail, y Tachenko es el apellido. En ambos casos lo correcto es dirigirse a estas personas como Mr. Al Batal y Mr. Tachenko, aunque en los nombre árabes no es incorrecto utilizar el nombre propio (Mr. Shamsaddin).

En la cultura hispana es habitual usar el nombre propio y dos apellidos: el del padre en primer lugar y el de la madre a continuación. En las conversación sólo se debe usar el primer apellido, mientras que en los documentos escritos y, a efectos legales, deben usarse los dos apellidos. Cuando uno de los apellidos coincide con un nombre propio se antepone la preposición «de». Por ejemplo, una persona que se llama Adolfo y se apellida Pedro de primero y Ruiz de segundo será Adolfo de Pedro Ruiz. Si alguno de los apellidos es compuesto, se suele anteponer la conjunción «y» (por ejemplo, Juan Olmedo y Díaz-Carril).

En ciertos países es aconsejable utilizar títulos universitarios y profesionales en las presentaciones. Por ejemplo, en América Latina, Italia y Portugal los titulados universitarios y los profesores son doctores (*dottore* en Italia), mientras que esta palabra en la mayoría de los países occidentales —incluido España— se reserva para los profesionales de la medicina. En América Latina es habitual anteponer el título profesional al apellido (el ingeniero Ramírez, el arquitecto Benegas o el abogado Ibáñez). En México, para los abogados, se utiliza la palabra licenciado. En Alemania también se utilizan los títulos: al director de la compañía se le presenta como *Herr Direktor* y a un ingeniero como *Herr Ingenieur.*

Cuando se utiliza el inglés escrito existen cuatro abreviaturas que se anteponen al apellido: Mr., Mrs., Ms. y Miss. Mr. para hombres, Mrs. para mujeres casadas o de cierta edad, Ms. para mujeres cuyo estado civil no se precisa y Miss para mujeres solteras, aunque esta última fórmula está casi en extinción. En las presentaciones de mujeres lo más habitual es utilizar Ms. (pronunciado *mis*).

CUADRO 6.2

Tratamientos en seis idiomas de la Unión Europea

España	Francia	Reino Unido	Italia	Alemania	Portugal
Señor	Monsieur (messié) [1]	Mister	Signore (siñore)	Herr (jer)	Senhor (senor)
Señora	Madame	Mistress (misis)	Signora (siñora)	Frau	Señora (senora)
Señorita [2]	Mademoiselle (madmuassel)	Miss	Signorina (siñorina)	Fräulein (froilain)	Senhorina (senorina)

[1] Entre paréntesis figura la pronunciación en español.

[2] Generalmente, «señorita» y las palabras equivalentes sólo se utilizan para presentar a chicas jóvenes.

6.4.
Intercambio de tarjetas

Un aspecto importante del protocolo internacional es la costumbre de intercambiarse tarjetas. En los viajes de negocios en los que se van a visitar varias empresas conviene llevar tarjetas suficientes, ya que en cada visita pueden dejarse dos o tres. Parafraseando el mensaje publicitario de una conocida tarjeta de crédito: «No se debe salir del país sin un número suficiente de tarjetas profesionales». Por otro lado, no debe uno apresurarse al entregarlas. En un primer contacto lo adecuado es entregar tarjetas a alguien que luego va a tener necesidad de localizarnos. En este sentido, es mejor entregarlas al final de la reunión que al principio.

Teniendo en cuenta la importancia que se da en muchos culturas a la posición y el rango de las personas, es esencial que en la tarjeta se incluyan, además del nombre, el logotipo y los datos de contacto, el título profesional y el cargo que tiene el portador de la tarjeta. Es una práctica común que en un lado de la tarjeta el texto figure en el idioma del país de la empresa y en el otro en inglés. Para ejecutivos que viajan frecuentemente a grandes mercados como China o Japón, es aconsejable que el idioma a utilizar sea el inglés por un lado y el chino o japonés por el otro.

La forma en la que se entregan y reciben las tarjetas también varía según las culturas. En Europa y Estados Unidos lo normal es tomar la tarjeta, mirarla rápidamente y colocarla en la cartera o en el bolsillo de la chaqueta. Sin embargo este comportamiento no se consideraría educado en los países asiáticos. En Japón, lo correcto es mirar detenidamente la tarjeta, leer el nombre de la empresa y de la persona, asentir en señal de que la información se ha comprendido perfectamente y quizá hacer algún comentario o pregunta que denote interés. En Japón y Corea deben entregarse las tarjetas usando las dos manos, de tal forma que cada pulgar sostenga una esquina de la tarjeta, que debe colocarse de frente al interlocutor para que éste pueda, hipotéticamente, leer la información cuando se incline al hacer la reverencia.

Si bien no es incorrecto escribir en las tarjetas propias, nunca deben hacerse anotaciones en las tarjetas de otra persona en su presencia.

6.5.
Costumbres en la mesa

Las prácticas culturales en las comidas de negocios son también muy diferentes de unos países a otros. En Estados Unidos se puede aprovechar la hora del desayuno o celebrar cenas para conversar sobre negocios. En los países latinos —europeos y americanos— el almuerzo es la comida más utilizada para cerrar negocios. En Francia y Alemania es impensable tener un desayuno de trabajo. En los países asiáticos las reuniones de alto nivel se prolongan con invitaciones a cenar. Los horarios también son diferentes: en Rusia las cenas comienzan a las 6.00 pm., en México sobre las 8.00 y en España —el país más retrasado del mundo en este aspecto— sobre las 9.30 o 10.00. La tradición sobre la sobremesa es también distinta. Los japoneses prolongan las cenas con largas sobremesas; por el contrario en China, una vez que se han tomado los postres, los comensales se levantan de la mesa.

El uso de los cubiertos presenta ciertas peculiaridades. Los europeos mantienen el tenedor con la mano izquierda y el cuchillo con la derecha todo el tiempo; se ayudan con el cuchillo para colocar la comida en el tenedor. Los norteamericanos, una vez que han cortado la comida con el cuchillo en la mano derecha y el tenedor en la izquierda, colocan el cuchillo en el plato y toman el tenedor con la mano derecha para comer. En los países asiáticos es muy apreciado el uso de los palillos por parte de ciudadanos extranjeros. Cuando se ha terminado de comer deben ponerse encima de la mesa o en un plato con otros palillos. Colocarlos encima del plato de comida, en paralelo, al estilo que marca el protocolo occidental para los cubiertos, sería un signo de mala suerte. Si se usan los palillos para tomar comida de una bandeja, deben girarse y utilizar los extremos afilados, de tal forma que la parte de los palillos que ha estado en contacto con la boca no toque la comida de la bandeja. Igualmente no debe acabarse la sopa antes de comer otros platos. Al igual que el arroz, la sopa debe servir de acompañamiento durante toda la comida. Para pedir que se sirva más sopa o arroz debe sujetarse el cuenco con las dos manos.

En los países árabes se considera de mala educación comer todo lo que hay en el plato. Debe dejarse algo, como un cumplido al anfitrión, para demostrar que la comida es muy buena; si es en restaurante, dejar comida en el plato se considera signo de riqueza. También está permitido comer con las manos, siempre que el anfitrión inicie esta práctica. Por el contrario en Europa y América Latina se considera de mala educación comer con las manos y dejar comida en el plato, especialmente en Bolivia.

En el protocolo internacional lo más adecuado es esperar a que el anfitrión nos indique en qué lugar de la mesa debemos sentarnos. En China la

CUADRO 6.3

Frases para brindar

China (mandarín) China (cantonés)	*Gan Bei* *Yam sing o Yam pai*	¡Seca tu copa! ¡Seca tu copa!
Japón	*Kanpai* *Banzai* (muy formal)	¡Que vivan muchos años! ¡Que vivan muchos años!
Rusia	*Za vashe zdorovye* *Mir i druzhba*	¡Salud! ¡Paz y amistad!
Alemania	*Prosit*	¡Buen provecho!
Suecia	*Skäl*	¡Vaso bebe!
Brindis internacional	*Cheers*	Aplausos, aclamaciones

colocación de los comensales se cuida especialmente. Las mesas suelen ser redondas. El anfitrión de mayor rango se sienta en el lugar más próximo a la puerta y enfrente del invitado de mayor rango. A su alrededor se van colocando el resto de los comensales invitados. No debe empezarse a comer hasta que el anfitrión lo haga.

Ser invitado a comer a una casa japonesa supone un gran honor. Deberá uno quitarse los zapatos en la puerta y calzar unas zapatillas desde la entrada hasta el comedor, en el que se las quitará. Tiene que ponérselas otra vez para ir al cuarto de baño, donde las cambiará por unas zapatillas de baño. A la vuelta no se debe olvidar hacer el cambio. Durante la cena los comensales se sientan en posición arrodillada sobre un tatami, alrededor de una mesa baja. Los hombres deben mantener las rodillas separadas ocho o diez centímetros y las mujeres juntas. En la sobremesa se sientan con las piernas cruzadas.

6.6.
Propinas

Es difícil sintetizar las costumbres sobre propinas en restaurantes y servicios públicos. En Estados Unidos la propina es muy usual, por lo que cuando se viaja por ese país es aconsejable llevar una remesa de billetes de uno y cinco dólares. En Centroeuropa la propina suele estar incluida en la cuenta *(service charge),* por lo que no debe darse, salvo que el servicio haya sido excelente o merezca recompensarse a los empleados por algo especial. En Japón no existe tradición de propinas y puede considerarse un insulto o una ofensa. Igualmente ofensivo resulta en cualquier país dejar una propina muy pequeña (el resto de monedas del cambio), aunque el servicio haya sido muy malo. El porcentaje varía según los países, desde un 5%, que podría considerarse mínimo, hasta un 20%. La regla general es que cuanta más categoría tenga el establecimiento, más propina debe dejarse, siempre que el servicio haya sido bueno.

6.7.
Colores y formas

Los colores tienen distintos significados y evocan diferentes asociaciones según los países. Por ejemplo, en el mundo occidental el negro se asocia con la muerte y el luto, mientras que en Asia el color del luto es el blanco. De acuerdo a la tradición budista, el nombre de la persona fallecida se escribe en letras rojas, no negras. Por esta razón los nombres que figuren en tarjetas o material promocional para Asia nunca deben escribirse en rojo, ya que se transmitiría un mensaje desagradable. Al margen de esta connotación negativa, el rojo y el dorado son los colores de la suerte en China. Los bonos anuales que se da a los empleados durante el Año Nuevo Chino se entregan en sobres de color rojo, y es tradicional que las novias vistan de rojo el día de su boda. En África el rojo se relaciona con la brujería y la muerte.

La asociación del color azul para chicos y el rosa para chicas no es universal. En algunos países, como el Reino Unido, el color rojo se considera el más masculino —el Imperio británico se coloreaba de rojo en los mapas—. En otros países el color femenino por excelencia es el amarillo, no el rosa. El amarillo tiene ciertas connotaciones negativas: se relaciona con la enfermedad (quizá derivado de la fiebre amarilla) y con la mala suerte (el autor francés Molière murió en escena, vestido de amarillo, interpretando el personaje de Tartufo).

El color verde se asocia de forma creciente con la naturaleza y el medio ambiente, por lo que es una buena opción para productos que resalten estas características —es el color elegido, por ejemplo, para las tiendas de la cadena Body Shop—. Es también el color del Islam, por lo que debe evitarse en países como Israel o la India, en los cuales el islamismo es un tema conflictivo.

Las formas también son susceptibles de generar conflictos. Nike tuvo que retirar miles de zapatillas deportivas del mercado porque el logo que utilizó se parecía a la palabra árabe que significa Alá. En un mundial de fútbol se imprimieron en los balones las banderas de los países participantes, entre ellos, Arabia Saudí; esos balones tuvieron que retirarse, ya que en la bandera de este país figura una cita del Corán en la que se incluye el nombre de Alá. Para los saudíes dar patadas al nombre de Alá era inaceptable. En un material promocional utilizado por la compañía Boeing en Pakistán aparecía una fotografía de unos negociadores —aparentemente pakistaníes— visitando las instalaciones de la compañía. Sin embargo, llevaban el turbante al estilo hindú, por lo que se interpretó que eran clientes de India, país que tradicionalmente ha mantenido muy malas relaciones con Pakistán.

6.8.
Gestos

Los signos, especialmente el movimiento de las manos, son también una fuente de confusión. Veamos algunos ejemplos:

— El signo de «OK» en Estados Unidos (unir el dedo pulgar y el índice formando un círculo con los otros tres dedos extendidos hacia arriba) significa «cero» o «nada» en Francia, se considera un insulto en Italia y Dinamarca y una obscenidad en Brasil, Guatemala y Paraguay.

— Levantar el pulgar con el puño cerrado tienen un significado positivo en el mundo occidental. Lo utilizaban los emperadores romanos para indultar a los gladiadores y, más recientemente, los pilotos militares para indicar que el avión estaba listo para partir. Sin embargo, en la mayoría de los países árabes y en algunos africanos —por ejemplo, Nigeria— tiene un significado obsceno. En Japón, el pulgar se considera el quinto dedo, por lo que este gesto se utiliza para pedir cinco cosas de algo.

— Señalar con el dedo índice a personas está mal visto en casi todas las culturas. No así cuando se señalan objetos, sobre todo por ciudadanos extranjeros que no conocen el nombre de algo. En otras culturas se señala con un movimiento de cabeza, barbilla o labios. En Asia se despliega la mano derecha entera, excepto en Malasia, donde se usa el dedo pulgar.

— La cabeza se considera el lugar donde reside el alma en la India, Malasia, Indonesia, Tailandia y Singapur. Nunca se debe tocar la cabeza de una persona —ni siquiera dar una palmada a un niño— o pasar un objeto por encima de ella, ya que se considera una parte sagrada del cuerpo.

— En los países árabes no está bien visto cruzar las piernas y, mucho menos, mostrar la suela del zapato, lo cual se considera un gesto ofensivo.

— Generalmente, en todas las culturas llamar por señas a alguien se considera incorrecto si el rango de esa persona es superior al nuestro. Si es igual o inferior se suele hacer un gesto con la mano extendida y los dedos juntos moviéndola hacia el cuerpo. Sin embargo, mientras que en el mundo occidental los dedos apuntan hacia arriba, en Oriente apuntan hacia abajo; la posición contraria se considera una señal despectiva.

6.9.
Regalos

Es importante conocer y comprender las costumbres que tienen los países sobre el intercambio de regalos en las relaciones de negocios. Hay países, como Japón, en que la costumbre de regalar está muy arraigada y no hacerlos puede considerarse un desprecio, mientras que en otros hacer un regalo se considera ofensivo o una forma de soborno. Los ejecutivos internacionales deben saber cuándo deben hacerse los regalos (al principio o al final de las negociaciones), si deben abrirse o no en público y qué tipo de regalos son más adecuados para cada cultura.

En Estados Unidos los regalos de negocios son muy modestos, incluso se desaconsejan legalmente —la práctica, por razones fiscales, es limitar el precio a un máximo de 25 dólares—. Es muy habitual obsequiar a clientes con artículos promocionales (bolígrafos, carteras, calculadoras) que llevan el logotipo de la empresa. Estos obsequios no se envuelven en papel de regalo.

En Europa occidental los regalos no suelen entregarse al principio de la relación comercial. De hecho, en países como Alemania o el Reino Unido es una práctica casi inexistente. En países latinos suelen hacerse coincidiendo con las fiestas de Navidad. Deben abrirse cuando se entregan.

El país con más tradición en los regalos es Japón. Los regalos entre empresas son casi una obligación al principio del año (1 de enero) y a la mitad (15 de julio). Generalmente, también se ofrecen en las primeras reuniones. Para los japoneses la ceremonia del regalo —la manera en que esté envuelto y la forma de entregarlo— es tan importante como el regalo en sí mismo. Es difícil intuir si van a hacer un regalo de poco valor o costoso, por lo que se aconseja averiguar algo al respecto para entregar una regalo del mismo nivel. No suelen abrir los regalos al recibirlos y, por tanto, debe evitarse esa práctica cuando se reciban regalos de ellos. Si los abren, suelen ser bastante parcos en elogios, aunque esto no significa que no les haya gustado.

En China y otros países asiáticos existe la tradición de rehusar los regalos hasta tres veces; de esta forma se evita parecer avaricioso. Por tanto, hay que insistir. Una vez que el regalo ha sido aceptado, debe agradecerse la aceptación. Los regalos tienen que entregarse al jefe de la delegación, haciendo mención expresa de que es un regalo en nombre de la compañía que uno representa para la compañía o institución del que lo recibe. Lo habitual es realizar los regalos al final de las negociaciones. Hay que entregarlos con las dos manos. Al igual que sucede en Japón, no se abren en público.

Cuando se recibe una invitación a cenar es aconsejable en casi todos los países —salvo, por ejemplo, en Arabia Saudí— llevar un pequeño obsequio (bombones, vino, whisky), que debe entregarse a la llegada para que no parezca que es una compensación por la comida. Otra posibilidad es enviar flores a la anfitriona, en cuyo caso debe consultarse con la floristería local, ya que las flores tienen diferente significado según los países, sobre todo en la asociación que pueda hacerse con los funerales; por ejemplo, los claveles en Suiza o los crisantemos en Francia y Japón.

En cuanto a regalos para empresas, una buena opción es obsequiar con productos que denoten un origen regional en el país de procedencia (cerámica, artesanía, vinos, productos de alimentación con denominación de origen, libros con ilustraciones de paisajes o monumentos, etc.). Por otra parte, hay que evitar ciertos regalos en algunos países (véase cuadro 6.4).

CUADRO 6.4

Regalos que no deben hacerse

— Perfume o vino en Francia; son su especialidad.
— Relojes de pared en China; se consideran un símbolo de mala suerte.
— Vino o licores en países árabes; están prohibidos por las leyes islámicas.
— Artículos de cuero en la India, ya que la vaca es un animal sagrado.
— Instrumentos para cortar (cuchillos, navajas, tijeras) en América Latina, ya que puede interpretarse que se desea cortar la relación.

6.10.
Test de protocolo internacional

Es difícil conocer los hábitos protocolarios de los países que se visitan. Todo lo más, unas reglas generales y algunos comportamientos concretos como los expuestos en este capítulo. Ante la incertidumbre, la mejor alternativa es esperar a que la otra parte tome la iniciativa. Si ofrece la mano, dar la mano; si utiliza títulos profesionales en las presentaciones, utilizarlos también; si hace un regalo, corresponder con otro de un valor similar, etc. En cualquier caso, el ejecutivo internacional debe informarse de las costumbres locales antes de viajar por primera vez un país. Para animar a la adquisición de esos conocimientos proponemos el siguiente test de protocolo (las respuestas correctas se encuentran a continuación de la última pregunta).

1. Usted está planificando un viaje a los Emiratos Árabes. ¿Qué días se consideran fin de semana en este país?

   a) Jueves y viernes.
   b) Viernes y sábado.
   c) Sábado y domingo.
   d) Domingo y lunes.

2. Usted tiene que llamar a Nueva Zelanda desde España. ¿A qué hora de España tiene que hacer la llamada si quiere contactar con su cliente a primera hora de la mañana en Nueva Zelanda?

   a) 01.00 am.
   b) 10.00 am.
   c) 04.00 pm.
   d) 08.00 pm.

3. En una reunión en Corea del Sur su cliente le da una tarjeta en la que aparece el nombre de Lee Hyong Sim. ¿Cómo debe llamarle?

   a) Mr. Hyong.
   b) Mr. Sim.
   c) Mr. Lee.
   d) Mr. Lee Hyong.

4. En una negociación con un cliente griego, éste mueve la cabeza hacia arriba en respuesta a una propuesta suya. ¿Qué quiere decir?

   a) Que la acepta.
   b) Que la rechaza.
   c) Que lo pensará.
   d) Que no es el momento de tratar esa propuesta.

5. Su empresa ofrece un cóctel de presentación de los nuevos productos en Alemania. ¿Cuál de los siguientes comportamientos es incorrecto?

   a) Cuando usted presenta un cliente a su jefe, decir primero el nombre del cliente y luego el del jefe.

b) Cuando usted presenta a dos personas, decir primero el nombre de la más joven (o de menor rango) y luego el de la otra.

c) Tender la mano a una mujer aunque ésta no la haya extendido.

d) Dar la mano a los invitados a modo de despedida.

6. En un viaje de negocios uno de sus distribuidores le obsequia con un regalo. ¿En cuál de los siguientes países no debe abrirlo en su presencia?

a) Estados Unidos.

b) Brasil.

c) India.

d) Sudáfrica.

7. Usted está de viaje por América Latina. ¿En cuál de los siguientes países deberá vestirse con mayor formalidad y elegancia?

a) Argentina.

b) Brasil.

c) Colombia.

d) México.

8. Usted está en una reunión de negocios en China. Le han servido ya varias tazas de té y no desea tomar otra taza. ¿Cuál es el gesto más indicado para declinar?

a) Poner la mano encima de la taza cuando vayan a servir.

b) No beber todo el contenido, incluso dejar la taza llena.

c) Colocar la taza vacía boca abajo encima de la mesa.

d) Mover la taza de izquierda a derecha cuando vayan a servir.

9. Usted está en una comida de negocios. ¿En cuál de los siguientes países no debe pasar los platos con la mano izquierda?

a) Islandia.

b) Costa Rica.

c) Tailandia.

d) Egipto.

10. En un viaje por Estados Unidos ha sido invitado a cenar a casa de un cliente. ¿Qué clase de flores no debe enviar a la anfitriona, ya que se utilizan en las ceremonias fúnebres?

    a) Claveles.
    b) Petunias.
    c) Margaritas.
    d) Gladiolos.

11. ¿En qué país de la Unión Europea es habitual tocar con la otra mano el antebrazo de la persona a la que se da la mano?

    a) Alemania.
    b) Francia.
    c) Italia.
    d) Reino Unido.

12. ¿En cuál de los siguientes países se espera que usted sea puntual en sus citas de negocios?

    a) Ecuador.
    b) Rumanía.
    c) Suiza.
    d) Turquía.

Respuestas

1. *a)* En los países árabes el día santo, el *Sabbath*, se celebra en viernes. La semana laboral comienza el sábado.
2. *d)* Nueva Zelanda está adelantada once horas con respecto a España. Cuando en España son las 8.00 pm., en Nueva Zelanda son las 9.00 am.
3. *c)* En los países de cultura china el orden de los nombres es inverso a Occidente. Primero el apellido (Lee), luego el nombre generacional (Hyong) y luego el nombre propio (Sim).
4. *b)* Para decir «no» los griegos mueven la cabeza de arriba abajo, como se hace en la mayoría de los países para decir «sí», pero de forma menos pronunciada.

5. *c*) Tender la mano a una mujer sin que ésta la haya extendido es incorrecto en todos los países. Los otros comportamientos son correctos en casi todo el mundo.

6. *c*) En las culturas asiáticas no deben abrirse los regalos delante de la persona que los ofrece. En el resto de países, generalmente sí.

7. *a*) Argentina, debido a la influencia europea, especialmente inglesa, es el país de América Latina que más importancia concede a la forma de vestir.

8. *b*) En China no es incorrecto dejar café o té en la taza cuando no se quiere tomar más. Las otras alternativas serían malinterpretadas.

9. *d*) En los países árabes la mano izquierda se considera sucia, ya que es la que se utiliza cuando se va al cuarto de baño. Se debe usar lo menos posible: no señalar, no pasar objetos, incluso pedir disculpas si se escribe con la izquierda.

10. *d*) Los gladiolos y los lirios se asocian con funerales en Estados Unidos.

11. *c*) En Italia.

12. Las cuatro respuestas son correctas. En todos los países del mundo se espera que el visitante extranjero sea puntual.

Casos prácticos de negociación internacional

1.
Ayecue: El margen de negociación con las grandes superficies europeas *

Ayecue es una empresa riojana que pertenece a un grupo empresarial de carácter familiar. Creada a finales de los años setenta, aglutina a más de quince empresas, pertenecientes todas ellas al sector agroalimentario y especializadas en el champiñón. Producen *compost,* cultivan y transforman ese producto, comercializado en todas sus posibles presentaciones (Fresco IV Gama, semielaborado, enlatado, congelado, precocinado, etc.), con más de 1.500 referencias dentro de su gama, presente en los cinco continentes. Su volumen de facturación conjunta supera los 75.000.000 de euros y su organización cuenta con más de 400 empleados. En España son los principales productores y comercializadores de este producto y los cuartos a nivel mundial.

En sus primeros años de existencia su actividad exportadora era más bien pasiva. Se limitaba a participar en cuatro ferias internacionales de alimentación: Alimentaria (Barcelona), Anuga (Colonia), Sial (París) y una en Chicago especializada en marcas blancas. No existía un plan de exportaciones; eran los compradores y distribuidores los que tomaban la iniciativa y acudían a comprar a Ayecue. La actividad internacional se realizaba a través de distribuidores del sector de hostelería. A mediados de los años ochenta contaban con 20 distribuidores por todo el mundo.

  * Nuestro más sincero agradecimiento a Eduardo Cuevas, gerente de Ayecue, por la ayuda prestada para la elaboración de este caso.

En la Unión Europea la producción de champiñón se centra, principalmente, en tres países:

— Holanda: 270.000 toneladas/año. El cultivo se realiza con elevadas inversiones en tecnología. Se han especializado en un solo tipo de champiñón, el «laminado 2.ª», por lo que son muy competitivos, pero sólo en esta variedad.
— Francia: 150.000 toneladas/año. Tienen mayor variedad de producción. La competencia es fuerte, ya que reciben importantes ayudas públicas.
— España: 95.000 toneladas/año. Se compite por calidad y variedades en la producción.

El champiñón está fuertemente protegido en la Unión Europea, existen contingentes y unos aranceles elevados (de hasta el 80 y 90%) para la importación del champiñón producido fuera del territorio comunitario, por lo que mientras que esta situación persista, la competencia de países terceros será mínima y el sector cultivador podrá subsistir.

En la década de los ochenta, debido a las continuas oscilaciones del tipo de cambio de la peseta con las principales divisas que alteraban la competitividad vía precio de la empresa, se llevó a cabo un replanteamiento del negocio. Ayecue decidió ir abandonando el sector de hostelería y entrar en la distribución al detalle a través de las grandes y medianas superficies. Su primer paso fue la colaboración con la central de compras para España de los supermercados SPAR. Poco a poco fueron especializándose en la comercialización de marcas blancas también a otras grandes superficies. Disponen de una cuota del mercado nacional superior al 50%.

En una segunda fase fueron contactando también con grandes superficies de otros países europeos. Además, en los años 1994 y 1996 montaron dos complejos de transformación en el exterior, uno en América Central y otro en la zona de Asia-Pacífico. A través de ellos se pretende abordar el mercado donde están ubicadas estas plantas, y, mediante distribuidores, los mercados cercanos geográficamente.

Desde 1992 se ha venido produciendo en Europa una concentración de las centrales de compra de grandes y medianas superficies. La concentración se incrementó aún más a partir de 1996. Este hecho ha supuesto un cambio en la negociación con las grandes/medianas superficies y el comercio asociado (detallistas independientes que se agrupan en centrales de compra para el aprovisionamiento conjunto). Si antes se negociaban las condiciones con la distribución comercial país a país, ahora se realiza a nivel de toda la Unión Europea. Entre otras cosas, esto ha supuesto un incremento del poder negociador de las grandes y medianas superficies frente a los proveedores, simplemente por cuestión de tamaño. Además, las condiciones para poder negociar son más exigentes. Sólo los proveedores capaces de suministrar a todo el mercado europeo, con buenos precios y capacidad logística suficiente, están en disposición de vender a través de estas centrales de compra paneuropeas.

¿Cómo se desarrollan las negociaciones con estas centrales de compra de grandes/medianas superficies europeas?

Antes del proceso de concentración Ayecue negociaba con un jefe de compras en cada país que normalmente contaba con muchos años de experiencia en compras del mismo producto y con el que había una relación de confianza y cordialidad. La concentración a nivel europeo de los grupos de distribución ha provocado un cambio en el perfil del jefe de compras. Normalmente son jóvenes recién titulados que negocian las compras de varios productos de una misma marca *(product managers)* para todo el territorio comunitario. Esto provoca el que no exista la confianza y la relación personal de años anteriores y que las negociaciones se centren en cuestiones de precios, calidades y condiciones. Otro cambio que ha ido produciéndose es que los *product managers* antes eran responsables de la rentabilidad de la línea de productos, ocupándose tanto de las compras como de las ventas. Actuamente se han separado ambas funciones de forma que los proveedores sólo tratan con *product managers* que se ocupan exclusivamente de las compras. Este hecho también reduce los argumentos de venta de los proveedores, que se circunscriben exclusivamente a los aspectos comerciales.

Ayecue realiza tres tipos de ofertas: marca blanca, marca propia y la denominada «primer precio» (se trata de las marcas de mejor precio que ofrecen las grandes superficies, destacándolas en los lineales con algún distintivo). Cada tipo de marca se negocia con un jefe de compras diferente y generalmente ubicado en países distintos. La marca propia se oferta muy poco. Es difícil introducir una marca propia a nivel europeo si la empresa no está muy consolidada en su segmento de mercado o sector.

La negociación se centra en el posible suministro a nivel europeo de marcas blancas, marcas de primer precio o marcas propias (en menor medida) durante un año. La negociación de las marcas blancas o primer precio comienza con el envío por parte de la central de compras de un equipo de técnicos que realizaran *in situ* una auditoría de calidad. Esta auditoría suele realizarse por dos técnicos durante una jornada. El coste, aproximadamente 1.500 euros, es por cuenta del proveedor. La auditoría de calidad debe realizarse anualmente, antes del inicio de la negociación.

Una vez superada la auditoría, la central de compras envía a Ayecue la denominada «llamada de oferta». En ella se recogen las condiciones necesarias para que los proveedores hagan su oferta, tales como:

— Oferta por referencia.
— Especificaciones de calidad y normativa aplicable.
— Fichas técnicas y logísticas.
— Condiciones de venta.
— Condiciones y plazos de entrega.
— Penalizaciones por retrasos o defectos de calidad.
— Etcétera.

En dicha llamada de oferta, el proveedor tiene que cumplimentar o actualizar, entre otros documentos, una «ficha de empresa» (véase la figura 1) y una «ficha de producto» (véase la figura 2). En la primera, además de los datos sociales, debe facilitar información sobre la capacidad de producción, exportaciones, actividades, marcas y principales clientes a los que suministra. En la ficha de producto se incluye información de carácter técnico y logístico.

Para hacer más transparente la negociación sobre precios, el proveedor tiene que facilitar a la central de compras un escandallo de precios para cada producto (véase la figura 3) en el cual se desglosan los costes fijos y variables en cuatro apartados: costes de aprovisionamiento, costes de producción, costes administrativos y costes comerciales. La suma de estos cuatro costes es lo que constituye el precio de cesión de origen. A este precio se añaden los costes logísticos (almacenamiento y transporte), para obtener el precio de venta sin impuestos del producto colocado en la plataforma logística. Hay que tener presente que la central de compras recibirá el escandallo de precios también de la competencia, por lo que es difícil disfrazar los costes inflándolos en cualquier partida.

A esta llamada de oferta, Ayecue debe responder cumplimentando todos los formularios y realizando una oferta concreta en precios, volúmenes, calidades, forma de pago, condiciones de entrega (Incoterm), etc.

El aspecto esencial de la negociación es el precio. Ayecue parte de dos posiciones en precio: el precio más favorable (PF) y el precio de ruptura (PR), a partir del cual no le interesa la venta. El precio más favorable lo fija en función de sus costes, los de la competencia y las condiciones marcadas en la «llamada de oferta». El cálculo exacto de los costes es una tarea compleja, debido fundamentalmente a que no se conoce por adelantado y de forma exacta el precio al que se van a comprar los champiñones a los cultivadores. Por otro lado, es clave el análisis sobre los precios que fijará la competencia.

RENSEIGNEMENTS FOURNISSEUR

DATE : ....

RAISON SOCIALE.............................. DATE CREATION........................ CONTACTS :

FORME JURIDIQUE.. RESPONSABLE DOSSIER ....

ADRESSE.............................. CAPITAL SOCIAL........................... RESPONSABLE QUALITE ....
.... EFFECTIF....................
TEL.. RESPONSABLE (1) ....
FAX.............................. ACTIONNARIAT (%)........................
E MAIL.............................. RESPONSABLE (1) ....
DIRIGEANT(S)............................ SOCIETE MERE.....................
TELEPHONE PORTABLE.................. (1) A PRECISER

	TOTAL	EXPORT	soit en %	M.D.D.	soit en %	1ER PRIX	soit en %	VOS MARQUES	soit en %
VOTRE CA									

	MARCA 1	MARCA 2	MARCA 3	MARCA 4	MARCA 5	MARCA 6	MARCA 7	MARCA 8	OTRAS
CA REALISE									

(1) A PRECISER

ACTIVITES	PRODUITS	CENTRES DE PRODUCTION (avec n° d'agrément CEE)
		CAPACITE DE PRODUCTION

Etes-vous l'importateur direct sur le territoire français ? [OUI] [NON]

Etes-vous l'importateur direct sur le territoire Union Européenne ? [OUI] [NON]

VOS PRINCIPAUX CLIENTS				
MARQUE DE DISTRIBUTEUR			PREMIERS PRIX	
CLIENTS	PRODUITS		CLIENTS	PRODUITS

Certification ISO ? [OUI] [NON]
Si oui, laquelle ? ....

Démarche HACCP ? [OUI] [NON]

Figura 1. Llamada de oferta (1).

ANNEXE III - 4

FICHE PRODUIT ALIMENTAIRE
A COMPLETER PAR LE FOURNISSEUR

Acheteur : _____

FOURNISSEUR : _____

_____   FAX : _____   TELEPHONE : _____

_____   Email : _____

PRODUIT : Désignation légale et commerciale utilisée chez le fournisseur.

_____   _____

Référence interne du fournisseur : _____   Nombre de points (si tarif en points) :

_____

CODE EAN DE L'UV (poids fixe)	|___|___|___|___|___|___|___|___|___|___|___|___|___|
CODE EAN DE L'UV (poids variable)	|___|___|___|___|___|___| |_0_|_0_|_0_|_0_|_0_|_0_|
CODE EAN DE COMMANDE E.D.I. (poids variable)	|___|___|___|___|___|___|___|___|___|___|___|___|
CODE EAN DU PRODUIT PERMANENT	|___|___|___|___|___|___|___|___|___|___|___|___|
CODE EAN DE L'UNITE POUR LOT HOMOGENE	|___|___|___|___|___|___|___|___|___|___|___|___|

DLC : [____] (JOURS)   POIDS NET OU POIDS NET EGOUTTE   . . . . .

                                  . , . . .   KG

                                  Ou

DLUO : [____] (JOURS)   VOLUME NET   . . . . . . , . .

UNITE DE MESURE CONSOMMATEUR :   TVA : _____ %   TYPE D'AOC :

_____

PAYS DE FABRICATION :   PAYS D'IMPORTATION : _____

_____

CODE NOMENCLATURE DOUANIERE :   \|___\|___\|___\|___\|___\|___\|___\| \|___\| MASSE NETTE : _____

CODE AGREMENT SANITAIRE : _____   CONTEXTURE : (1)

ANIMAL	VEGETAL	MINERAL	DIVERS

DESIGNATION OFFICIELLE DE TRANSPORT : _____

DEGRE ALCOOL : _____   REGIE ALCOOL : [OUI] [NON]   CAPSULE CONGE : [OUI] [NON]

VIGNETTE SECURITE SOCIALE : _____

PRIX D'ACHAT DE BASE HT : _____

DATE DE DEBUT D'APPLICATION DU PRIX D'ACHAT DE BASE HT : _____

NB : EN CAS DE CONDITION DEPART, L'UTILISATION DE PALETTES LOUEES EST RECOMMANDEE.

ELEMENTS LOGISTIQUES	UVC	SPCB	PCB	COUCHE	PALETTE
NOMBRE UVC	1	....	....		....
NOMBRE DE COUCHES/PAL				....	
LONGUEUR EN CM	.... cm	.... cm	.... cm	1 2 0 , 0 cm	1 2 0 , 0 cm

Figura 2.   Llamada de oferta (2).

ANALYSE DE LA VALEUR

PRODUIT:

FOURNISSEUR:

DESCRIPTIF DES POSTES	COUTS FIXES		TOTAL	
	FIXES en Eur	VARIABLES en FF	En Eur	%

COÛTS APPROVISIONNEMENT :

Matières premières				
Emballage				
Suremballage				
Autres				
Sous Total:				

COÛTS DE PRODUCTION

Main d'œuvre				
Matières consommables				
Energie				
Entretien, outillage				
Frais de batiments et de locaux				
Frais d'étude technique				
Puce fraîcheur (Monoprix uniquement)				
Divers				
Sous Total:				

COUTS ADMINISTRATIFS

Service administratif				
Frais divers de gestion				
Frais financiers				
Eco emballage				
autres(bapsa,tgap etc)				
Sous Total:				

COÛTS COMMERCIAUX

Direction commerciale				
Frais d'établissement graphique				
si uniquement français *				
si uniquement bilingue *				
si 2 emballages *				
Frais d'analyse				
Marge commerciale				
autres				
Sous Total:				

PRIX DE CESSION DEPART :   100%

COÛTS LOGISTIQUES :

Coûts de stockage				
Barème de transport entrepots	Préciser svp:			
Sous Total:				

PRIX FRANCO HT Plateforme

Date   1/1

Figura 3. Llamada de oferta (3).

Un ejemplo puede ilustrar la forma en que se negocia. Supongamos que una vez calculados los costes y los precios (posibles) de la competencia el PF sea 0,6010 euros. Ayecue fijará entonces el PF en función de las condiciones de la «llamada de oferta», que son distintas según se trate de marca blanca, marca propia o «primer precio».

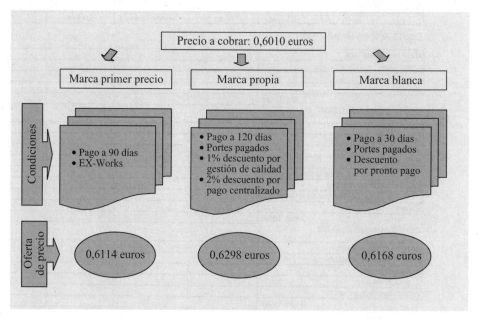

Figura 4.   Ejemplo de oferta de precios a central de compras.

Ésta sería la oferta inicial (PF) para los tres tipos de marcas de Ayecue a los jefes de compra de la central. La oferta que se envía al cumplimentar la «llamada de oferta» es vinculante para el proveedor.

La negociación propiamente dicha comienza a partir de esta oferta. Antes existía una comunicación muy fluida, continua e informal con los jefes de compra. Hoy gran parte del contacto se realiza a través de Internet vía cruce de correos electrónicos, aunque son también definitivas las reuniones personales que se mantienen: generalmente se producen al menos dos visitas personales por parte de Ayecue, una para la presentación de la oferta y otra en caso de llegar a un acuerdo para la firma del contrato de suministro.

Normalmente, nada más recibir la llamada de oferta cumplimentada la central de compras remite al posible proveedor un *ranking* sobre las ofertas recibidas y la posición que Ayecue ocupa en dicho *ranking*. Lo que se negocia es casi exclusivamente el precio, ya que el resto de condiciones (pagos, entregas, etc.) están perfectamente definidas en la llamada de oferta de la central de compras. El margen de negociación estará entre el precio más favorable y el precio de ruptura. Habitualmente el precio de ruptura se fija en el umbral en el que Ayecue no obtendría margen comercial. En alguna ocasión, y por tan sólo una diferencia de un 1%, han llegado a la ruptura en negociaciones de este tipo.

La central de compras a partir del precio/tarifas ofertadas comienza a solicitar descuentos por diversos conceptos (conocidos en el sector con el nombre de «atípicos»): apertura de nuevos puntos de venta, gastos por promociones especiales, por gestión de stocks y almacenamiento, etc. Es menos arriesgado negociar estos costes asumiéndolos como porcentajes de descuento sobre el precio ofertado que como costes fijos que se abonan por adelantado, ya que no se sabe por anticipado la cifra de ventas.

La oferta final de precios para cada tipo de marca también hay que fijarla según la entrega sea en el punto de venta o en distintas plataformas de distribución (nacional, regional o local). Ayecue tiene subcontratado el transporte del champiñón a una empresa transportista en cada mercado.

Hasta mayo de 2000, Ayecue negociaba en distintas divisas con las centrales de compra europeas (francos y marcos, fundamentalmente) asumiendo el riesgo de cambio. Actualmente, al realizarse las transacciones en euros, se ha suprimido este importante riesgo.

La negociación en Europa se realiza fundamentalmente con franceses, alemanes e italianos. El estilo de negociación es completamente distinto debido a las diferencias culturales. La negociación con alemanes es cerrada en el sentido de que existe una falta de flexibilidad sobre los temas a tratar. No son innovadores en cuanto a buscar nuevas formas de acuerdos, concesiones o condiciones Sin embargo, muestran mayor grado de flexibilidad para negociar los precios. La negociación con los franceses se puede decir que es la opuesta. Son muy abiertos en aceptar nuevas condiciones y planteamientos, pero más rígidos en el precio. Por último, la negociación con los italianos es mucho más informal, con un estilo más «sureño». En Italia el protagonismo de las marcas blancas y la implantación de las grandes superficies es muy inferior al resto de Europa.

En el año 2002 ya estaban operando de forma regular con clientes como Carrefour, Eroski, Intermarche, Ahold, Euromadi, Del Monte Int'l, Auchan, Rewe, Tengelman, etc. La última incorporación a su cartera de clientes había sido la multinacional norteamericana de distribución Wal-Mart, que había enviado a sus técnicos para realizar una revisión completa de las plantas de producción de Ayecue. Se abría así la posibilidad de penetrar en el mayor detallista a nivel mundial.

2.
Irizar: La negociación de una *joint-venture* en China *

La empresa fabricante de autobuses y autocares Irizar, que participa en el grupo MCC (Mondragón Corporación Cooperativa), empezó su andadura internacional en el año 1992. En el año 2001 contaba con *joint-ventures* en China, India y Marruecos, y con empresas propias en Brasil y México.

La estrategia de implantación de Irizar es el establecimiento de proyectos propios en el exterior siempre que sea posible, pero hay dos circunstancias que imponen una implantación en el mercado conjuntamente con un fabricante local:

— Cuando lo exige la normativa legal del país.

— Cuando se necesita un colaborador que complemente los conocimientos necesarios para implantarse y posicionarse, ya sea desde el lado del mercado o de la situación sociopolítica.

Esta doble circunstancia fue la que motivó a Irizar a inclinarse por una *joint-venture* con un socio local como forma de introducirse en el mercado chino. El objetivo era montar una planta de fabricación para suministrar autocares y autobuses a las empresas de transporte de viajeros de China. Transcurrieron dos años de intensas negociaciones (de 1992 a 1994) desde los primeros contactos hasta que el gobierno chino autorizó la empresa mixta, con multitud de visitas de los directivos de Irizar a China y de los directivos de la empresa china local a Guipúzcoa, donde está ubicada la sede central de Irizar. Para poner en marcha el proyecto, un directivo de Irizar, Peio Alcelay, se trasladó a Tianjin, ciudad costera cercana a Beijing, en mayo de 1995, donde vivió durante cuatro años y donde se estableció finalmente la *joint-venture*.

¿Cómo se desarrollaron las negociaciones en China? Expongamos el proceso desde el inicio.

---

* Este caso no se habría podido escribir sin la ayuda de Peio Alcelay, gerente de Tianjin-Irizar durante los primeros cuatro años de existencia de la empresa, al que agradecemos su colaboración por el tiempo que nos dedicó, así como por los conocimientos y experiencias sobre negociación internacional que con tanto entusiasmo nos transmitió.

La toma de contacto

En los primeros viajes a China, el responsable de coordinar el proyecto Irizar y el responsable de transferencia de tecnología captaron inmediatamente la importancia de los contactos personales para introducirse en el sector. Es lo que los chinos llaman *quanxi* (contactos, relaciones, conexiones). Era conveniente que alguien con experiencia en el mercado chino y con conocimientos del sector pudiera presentarles a algún candidato a socio en una futura sociedad mixta. En aquellas fechas uno de los principales transportistas españoles, la empresa Alsa, se encontraba negociando una implantación junto con un socio local en Tianjin. Una coincidencia de intereses; Alsa necesitaba autocares de un nivel de calidad europeo y animó a Irizar a implantarse en la misma localidad china. Alsa conocía a las autoridades chinas y a un posible socio local para el proyecto de Irizar. Alsa pasaría a formar parte como accionista en la sociedad mixta que acabó constituyéndose. En China, especialmente en ciertos sectores como el de automoción, las empresas extranjeras que desean implantarse sólo pueden hacerlo constituyendo sociedades mixtas con empresas públicas chinas.

La preparación

Irizar conocía las posibilidades que ofrecía el mercado chino para su sector. Sin embargo, el desconocimiento del mercado, las diferencias culturales tan enormes, la dificultad del idioma y la falta de contactos provocaban una sensación de incertidumbre y de no «saber bien» por dónde empezar. Koldo Saratxaga, responsable de coordinar el proyecto Irizar Group, fue quien lideró las negociaciones.

El objetivo principal de Irizar en el mercado chino era estratégico. Decididamente, querían implantarse. Se trataba de fabricar y vender en China un modelo de autobús de lujo de Irizar, el Everest, destinado a ese mercado y a otros mercados asiáticos. El planteamiento no era lograr beneficios a corto plazo, sino implantarse pensando en el largo plazo. Además, Irizar era la primera empresa extranjera del sector de fabricación de autobuses con intención de crear una *joint-venture* en China. Este hecho implicaba la posibilidad de poder contactar y elegir entre todos los posibles socios locales disponibles.

En cuanto a los asuntos a tratar, Irizar destacaba cinco temas prioritarios sobre los que irían discurriendo las negociaciones. Estos asuntos prioritarios son los mismos que trata Irizar en cualquier otra negociación para la constitución de una *joint-venture,* independientemente del mercado:

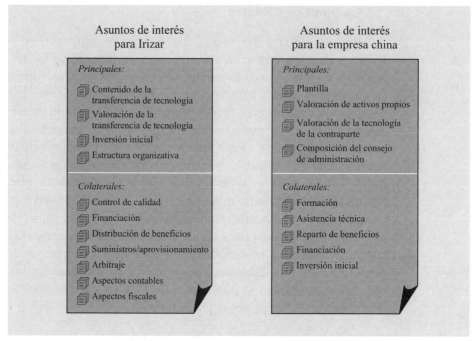

Figura 5. Lista de asuntos a tratar, tanto principales como colaterales, de ambas partes.

— El contenido y el coste de la transferencia de tecnología.

— Valoración de activos del socio local (terrenos, oficina, infraestructura, herramientas, etc.).

— La participación en el capital, las inversiones a realizar y la forma de financiarlas.

— La estructura organizativa de la *joint-venture* y los acuerdos sobre la toma de decisiones.

— El ajuste de la plantilla a las necesidades reales de la nueva empresa.

Las posturas iniciales: las posturas más favorables de cada parte

El equipo negociador chino tenía un claro perfil político. Se trataba de personas enviadas por las autoridades políticas. Esto es algo muy habitual en las negociaciones para la constitución de *joint-ventures* en China. Además, curiosamente casi siempre tienen una edad similar entre los 55 y los 65 años. Son personas que vivieron la revolución cultural de Mao en los años sesenta y que estaban muy bien situados políticamente en la década de los noventa.

Irizar se encontró con un tipo de negociadores que no se regían estrictamente por criterios empresariales, sino más bien políticos. En las primeras reuniones, en la fase de discusiones iniciales y primeras propuestas, Irizar comprendió que los objetivos del equipo negociador chino eran tres: captar la tecnología (el *know-how*) de Irizar al menor coste posible, mantener en lo posible la plantilla de la empresa china y obtener una valoración alta de sus activos.

¿Cuáles fueron las primeras valoraciones que presentaron en la mesa de negociación ambas partes?

— Irizar tenía valorada la tecnología del modelo Everest en cuatro millones de dólares. El coste incluía el *know-how,* así como los moldes, útiles y herramientas necesarias para poner en marcha el proceso de fabricación. Esta tecnología permitía que los primeros autobuses pudieran estar fabricados a los tres meses de efectuada la transferencia de tecnología.

— El número de trabajadores era de 1.180 personas. Debido a la baja actividad, la presencia diaria en el trabajo de la mayoría de los trabajadores era mínima.

— La empresa china había hecho una valoración de sus activos extremadamente elevada, algo muy habitual en este tipo de negociaciones, donde las empresas chinas atraviesan grandes dificultades financieras y disponen de unos activos prácticamente sin valor (equipos y maquinaria obsoletos, herramientas inutilizables, etc.).

La postura más favorable de Irizar era la de transferir su tecnología por un coste en torno a cuatro millones de dólares y mantener una plantilla de unos 280 trabajadores. Con este número de trabajadores, y una vez que hubieran sido formados por Irizar, se podrían conseguir los objetivos de fabricación que la empresa se había propuesto alcanzar en el mercado chino: fabricar un autobús por día.

El intercambio: ajuste de posiciones

En esta fase del proceso es donde se tuvo que realizar un mayor esfuerzo de negociación y donde las diferencias culturales de una y otra parte aparecieron en toda su intensidad. Los directivos de Irizar tuvieron que enfrentarse a estilos de negociación caracterizados por lo siguiente:

— La toma de decisiones es lenta.

— Las decisiones, independientemente de su importancia, se toman por consenso. El equipo negociador tiene que consultar con sus superiores la aceptación de propuestas, las concesiones a la contraparte, etc.

— Aprovechan la frustración de los negociadores occidentales ante la lentitud en el desarrollo de las negociaciones para intentar conseguir mayores concesiones de la contraparte.

— Conceden gran importancia a los detalles, discuten machaconamente tanto los aspectos esenciales como los menos importantes.

— La visión que tienen sobre las negociaciones internacionales es del tipo ganador/perdedor. Su estrategia es conseguir la mayor cantidad de concesiones posible.

— No utilizan un estilo directo. No les gusta decir «no».

— Una de las mayores ofensas es desacreditar a uno de ellos ante el resto de componentes del equipo negociador.

— Los contratos y acuerdos escritos son únicamente la base de una futura relación empresarial y personal, que puede ir cambiando a lo largo del tiempo.

Koldo Saratxaga y Peio Alcelay conocían a priori alguna de estas características, y otras las fueron descubriendo a lo largo de las múltiples negociaciones. El hecho de que Peio viviera en China indudablemente ayudaba a entender mejor la postura, necesidades y motivaciones de la contraparte china.

Una de las primeras cuestiones objeto de discusión e intercambio fue la valoración de activos y existencias de la empresa china. Para Irizar estaba claro que los chinos inflaban considerablemente su valor. Para el equipo negociador chino conseguir la aprobación por parte de Irizar de una valoración alta era un objetivo prioritario. Koldo Saratxaga y Peio Alcelay defendieron ardientemente una valoración menor, pero sin provocar una paralización de las negociaciones, ya que para Irizar ésta no era una cuestión prioritaria; sin embargo, evitaron que esto lo percibieran así los negociadores chinos. Además, había un activo que sí tenía valor considerable para Irizar y que no lo valoraba especialmente la empresa china: unos terrenos con una superficie importante en el centro de Tianjin.

La valoración final se acordó de la siguiente forma:

— La inversión inicial de la *joint-venture* sería de 7 millones de dólares.

— Cada parte sería propietaria del 50% del capital.

— La empresa china aportaba sus activos y terrenos, que se valoraban en 3,5 millones de dólares.
— Irizar aportaba su tecnología, valorada en 3 millones de dólares (incluía *know-how,* útiles y herramientas), más una inversión en capital de 0,5 millones de dólares. Irizar tuvo que reducir su posición inicial en cuanto a la valoración de su tecnología, ya que los chinos no disponían de capital alguno para poner en marcha el proyecto.

Pero la cuestión más espinosa era qué hacer con la numerosa plantilla de la empresa china. El equipo negociador tenía un perfil político. Conseguir que Irizar mantuviese un porcentaje importante de los trabajadores suponía «marcarse» un tanto ante los superiores jerárquicos y la opinión pública. Aunque Irizar en general mostró paciencia para discutir este engorroso aspecto, y tuvo mucha delicadeza en no enfrentarse directamente, sino que trataba de convencer de una forma educada y no ofender de forma individual y ante los demás a ningún miembro del equipo negociador chino, utilizó en un par de ocasiones la táctica de lanzar ultimátums, levantándose de la mesa de negociación, amenazando con su regreso inmediato a España y el fin de las negociaciones. Finalmente, se acordó mantener una plantilla de 400 personas. Ni las 1.180 de la empresa inicial ni los 280 que según Irizar eran suficientes para el funcionamiento de la futura fabrica.

Otro de los «tira y afloja» de la negociación fue la composición del consejo de administración y la directiva que compondría la sociedad mixta. Irizar y Alsa consiguieron tres de los cinco miembros del consejo. Irizar también consiguió que la gestión empresarial y la producción estuvieran dirigidas por personal designado por Irizar. A cambio, los chinos obtuvieron la facultad de nombrar al jefe de administración.

Una de las barreras para la clarificación de la negociación era el idioma. Aunque Irizar contaba con un buen intérprete, el idioma chino resulta confuso. Además, los chinos aprovechaban esta circunstancia en su beneficio, provocando confusión mediante el uso de vocablos, ideas poco claras, confusas o de difícil interpretación y traducción. A medida que se iba avanzando en las negociaciones, se firmaban los preacuerdos en los denominados «Memorandums of Understanding» (MOU). Esto permitía ir haciendo un resumen de lo discutido y acordado y comprobar que ambas partes habían entendido y aprobado, en consecuencia, el preacuerdo. Un aspecto importante a destacar es que en China sólo es válido el texto en chino de los contratos y MOU. Aunque los MOU se escribían en dos idiomas (español y chino), en caso de discrepancias se imponía la parte escrita en chino. Una buena traducción de los textos es siempre importante, pero en este caso era absolutamente imprescindible.

El cierre

Tanto los MOU como el contrato que se firmó con el acuerdo final contenía un texto breve en el que se recogían los puntos más significativos con un lenguaje sencillo y muy claro. Con ello se pretendía evitar malas interpretaciones y sortear el rechazo de los chinos a contratos excesivamente detallados que pudieran condicionar la futura relación empresarial y personal entre las partes.

En 1994 el gobierno chino autorizó la creación de la empresa Irizar Tianjin Coach Manufacturing Co. Ltd., para la fabricación y comercialización de autobuses de lujo. En mayo de 1995 se formalizó la transferencia de tecnología. A los tres meses cumplieron el objetivo de fabricar un autobús diario.

Peio Alcelay siempre que visita China aprovecha para estar con las personas que tanto colaboraron con él en la puesta en marcha de la empresa. Éstas no son otras que las 400 personas que vivieron con él esta nueva experiencia.

3.
Soluziona: La negociación de una alianza estratégica en Europa del Este *

A principios del año 2001 se firmaba el acuerdo de creación de una sociedad mixta en el Ministerio de Industria y Recursos de Rumanía. Al acto asistieron, por la parte rumana, el ministro de Industria y Recursos, Dan Ioan Popescu, y el director general de la empresa pública Eléctrica, Siviu Lucian Boghiu; por parte española, el presidente de Unión Fenosa y presidente de Soluziona, Victoriano Reinoso, y el director general de Soluziona, Santiago Roura.

Llegar a la firma de este acuerdo había supuesto mucho trabajo, esfuerzo y meses de negociaciones entre los delegados de Soluziona y los directivos de la empresa rumana Eléctrica.

Desde mediados de los años noventa, Rumanía venía siguiendo una política de integración de su sistema con los países de la Unión Europea, y en este sentido había iniciado el proceso de liberalización de la red eléctrica. Por ello, las empresas eléctricas se vieron obligadas a alinear sus políticas y nivel tecnológico con sus homólogos europeos y empezaron a emprender ambiciosos proyectos de modernización de su gestión y tecnología.

En el año 2000 aparece en el boletín de las Comunidades Europeas un concurso, con financiación del Banco Europeo de Inversiones (BEI), para la implantación de un sistema de gestión comercial en la empresa pública rumana Eléctrica, distribuidora de electricidad de baja y media tensión. Unión Fenosa se presenta a dicho concurso y resulta adjudicataria. Las ventajas competitivas de la empresa eléctrica española frente a otros concursantes, además de la calidad del servicio y la oferta presentada, eran fundamentalmente dos: en primer lugar, el sistema de gestión comercial de Unión Fenosa ya se había implantado en casi medio centenar de países, por lo que había una experiencia constatada y un reconocimiento de la calidad de dicho sistema, denominado Open SGC, a nivel internacional; por otra parte, la mayoría de los competidores eran consultoras, no empresas eléctricas como Unión Fenosa, que era también usuaria del sistema; de hecho éste se había implantado en España hacía más de quince años.

---

* Agradecemos sinceramente la colaboración, entusiasmo y todas las interesantes experiencias sobre Rumanía que nos transmitió José María Aldeanueva, consultor senior de Soluziona.

Soluziona es una empresa perteneciente al grupo Unión Fenosa y presta servicios profesionales en las áreas de ingeniería, calidad y medio ambiente, telecomunicaciones, consultoría estratégica, tecnologías de la información y servicios de Internet.

En julio de 2000 se adjudicó el sistema de gestión comercial para el área de Bucarest, que consistía, básicamente, en un software y hardware para la gestión de la facturación y cobros al usuario del servicio. La empresa rumana accedió al uso de una nueva tecnología y a un programa adaptado a su estructura y características de mercado que le permitía conocer con mayor exactitud el consumo eléctrico de sus clientes y aplicar un sistema de cobros más ágil. Una particularidad del mercado, a diferencia del español, es que el usuario rumano tiene que abonar la factura eléctrica en las oficinas de Eléctrica, ya que son muy pocas las personas que tienen una cuenta bancaria y, por tanto, no existe la domiciliación bancaria.

El nuevo sistema daría soporte a 850.000 clientes en Bucarest. El objetivo era ir implantando este sistema región por región a toda Rumanía, con un mercado potencial de 8,5 millones de clientes. Se trataba de ir creciendo de forma progresiva para aprovechar la experiencia y el conocimiento que se iban adquiriendo a medida que se implantaba el sistema.

Para realizar la gestión comercial se necesitaba un soporte de mantenimiento que Soluziona también estaba en condiciones de ofrecer. De nuevo se iniciaba un proceso de negociación para proponer y negociar con la empresa eléctrica rumana un acuerdo de colaboración para el mantenimiento del sistema.

Soluziona contaba en su equipo negociador con personas con diversos perfiles: experimentados negociadores en el ámbito internacional y, en particular, expertos legales, financieros y técnicos. La composición del equipo variaba en función de los asuntos que se iban discutiendo.

El equipo rumano era siempre más numeroso que el español. La amplitud del equipo negociador es una particularidad en las negociaciones con los países del Este, aunque no todos intervienen de forma activa, y, en este sentido, era importante provocar la participación de todos los componentes. También lo era dar suficientes argumentos a los componentes del equipo negociador rumano que más simpatizaban con el posible proyecto de colaboración, con el objetivo de que promovieran internamente la idea de alcanzar un acuerdo con la empresa española.

Una de las cuestiones clave para negociar con éxito en Rumanía es la necesidad del contacto directo, personal y continuo con los rumanos. Alguna de las personas que formaban parte del equipo negociador de Soluziona pasaba veinte días al mes en Bucarest.

A la propuesta de colaboración de Soluziona para participar en el servicio de mantenimiento, los rumanos accedieron a «sentarse para analizar, discutir y negociar». El equipo negociador español conocía bien el terreno y sabía que se avecinaba un período de avances y retrocesos, largas reuniones y repetidos encuentros. La paciencia y la constancia eran necesarias, pero el objetivo merecía la pena.

Soluziona propuso la creación de una sociedad mixta para la ejecución del servicio de mantenimiento al sistema de gestión comercial ya implantado. Antes de comprometerse con esta forma de colaboración, los rumanos pidieron todos los modelos de acuerdos y constitución de *joint-ventures,* estatutos de creación de sociedades, contratos de mantenimiento tipo, etc. Toda esta información que suministraba Soluziona era tremendamente apreciada por la empresa rumana. La razón era simple. No tenían experiencia en la constitución de este tipo de acuerdos. Los modelos de empresa, los sistemas de valoración y contabilidad, los tipos de contratos, etc., a los que estaban acostumbrados no se parecían en casi nada a los que se utilizaban en una economía liberalizada. Asuntos como certificaciones de calidad, implantación de sistemas de información o desarrollo de políticas de marketing eran temas nuevos.

La compañía rumana sólo impuso un documento propio al inicio de las negociaciones: un modelo de acuerdo de confidencialidad, un aspecto al que los rumanos prestan una especial atención. Evidentemente en este tipo de negociaciones se ponen sobre la mesa información y datos confidenciales cuya difusión podría perjudicar a las empresas, por lo que los acuerdos de confidencialidad son obligados.

Otra característica de las negociaciones con Europa del Este, y en particular con Rumània, es su predisposición a firmar acuerdos y pactos de forma continuada y repetitiva a lo largo de todo el proceso negociador. Una vez firmados, no significa que los acuerdos se vayan a ejecutar de forma inmediata. En general hay una sensación de indecisión, de no tomar partido y no adoptar decisiones que retrasen el ritmo normal de las negociaciones.

Las reuniones, discusiones, propuestas, contrapropuestas, fueron casi interminables. Se debía ir despacio, con mucha mesura y paciencia, y todo ello haciendo que los negociadores rumanos se sintieran acompañados, tratados con sumo afecto y, en cierta forma, tutelados.

El trato personal era especialmente valorado. Fuera de la mesa de negociaciones se podía llegar a acuerdos *off the record,* que ayudaban mucho a agilizar y centrar los temas a negociar una vez que se sentaban más formalmente a discutir. Parte de las reuniones tuvieron lugar en España. Soluziona invitó en varias ocasiones al equipo rumano, que se alojaba en un hotel en Madrid, cerca de las oficinas de la empresa española.

La estrategia de Soluziona era, sin desviarse de la meta que querían alcanzar, ir paso a paso, sin prisas, discutiendo los distintos asuntos. Sin embargo, los rumanos recurrían frecuentemente al argumento de la falta de autoridad («esto no nos lo permite la empresa, el gobierno, el sistema, etc.) o a la incertidumbre política («los acuerdos no se pueden implantar debido a que hay que adaptarse a la nueva situación política»). También era habitual que intentaran renegociar ciertos asuntos una vez que habían adquirido mayor información y *feed-back* por parte de Soluziona, que les situaba en condiciones de obtener un mejor acuerdo.

Soluziona llevaba la iniciativa, pero con sumo cuidado de no mantener una actitud de0 superioridad, especialmente en algunos asuntos, como era explicar a los rumanos cómo había que implantar y hacer funcionar el soporte de mantenimiento del sistema de gestión. Había algo peor que poner a un rumano entre la espada y la pared para que tomase una decisión, y era herir su orgullo. Ir con una actitud prepotente no conseguiría otra cosa que cerrar muchas puertas, incluso definitivamente. A la inversa, razonar con argumentos de peso la importancia histórica de Rumanía como país es algo que siempre valorará un rumano.

El idioma de las negociaciones fue el inglés, que los directivos rumanos, especialmente los más jóvenes, hablan con bastante fluidez. Los preacuerdos se firmaban en inglés y los acuerdos importantes también se traducían al rumano.

Finalmente se llegó al acuerdo de colaboración en forma de *joint-venture* en los siguientes términos:

— La nueva sociedad estaría participada en un 51% por Soluziona (empresa de servicios profesionales del grupo Unión Fenosa) y en un 49% por Eléctrica, empresa nacional para la distribución de electricidad en Rumanía.

— El monto total del proyecto se acordó en 58 millones de euros.

— El presidente de la sociedad mixta procedería de Eléctrica. El director general, el director técnico y el director financiero serían nombrados por Soluziona. La empresa española tenía gente muy preparada para cubrir estos cargos dentro de su organización, aunque lo más difícil era que supieran rumano, algo fundamental para trabajar en el país.

Quedaba todavía pendiente de negociación lo que se denominaba el *roll out:* la expansión región a región de Rumanía del contrato de mantenimiento. En el momento de redactar este caso las reuniones entre Soluziona y Eléctrica continuaban. Todavía quedaba mucho camino por delante. Para algunos un camino apasionante.

4.
Telefónica Internacional:
El proceso negociador en las licitaciones
de América Latina *

A lo largo de los últimos años Telefónica Internacional ha ido incrementando considerablemente su presencia en América Latina. En el año 2001 contaba con una cuota del 29% del mercado de telefonía fija en esta zona geográfica. La internacionalización de Telefónica en Latinoamérica, y en particular en el sector de telefonía fija, se ha ido realizando a través de la adquisición de participaciones importantes en procesos de privatización de distintas empresas que, en el momento de redactar este caso, le permiten tener el control del principal operador de Argentina (TASA), el estado de São Paulo en Brasil (Telesp), Chile (CTC) y Perú (Telefónica de Perú), al tiempo que mantiene una participación minoritaria en CANTV de Venezuela.

Llegar a tomar el control de las empresas públicas de telecomunicaciones de esos países no ha sido una tarea sencilla ni rápida. En casi todos los casos, Telefónica Internacional ha tenido que pasar por un proceso de presentación de su oferta a una licitación convocada por el gobierno correspondiente y competir con grandes empresas de telecomunicaciones europeas, norteamericanas y japonesas.

Las licitaciones públicas pueden adoptar la forma de subasta o de concurso. En el primer caso (que suele ser el más frecuente) hay que superar inicialmente un proceso de precalificación, donde los concursantes presentan su empresa, sus capacidades y su proyecto de negocio. Si se obtiene la precalificación, la siguiente etapa es la de subasta propiamente dicha, en la cual se proclama ganador aquel concursante que presenta la oferta económica más alta para adquirir un determinado porcentaje en el capital de la operadora de telefonía local correspondiente. En el caso de concursos, ambas etapas se unifican de forma que se presentan conjuntamente la empresa, el proyecto y la oferta económica.

Antes de preparar una oferta para presentarse a una licitación, la empresa extranjera debe sortear una serie de barreras, tales como:

* Agradecemos la inestimable colaboración, amabilidad y tiempo que nos dedicó Javier Nadal, Director General de Regulación de Telefónica Internacional.

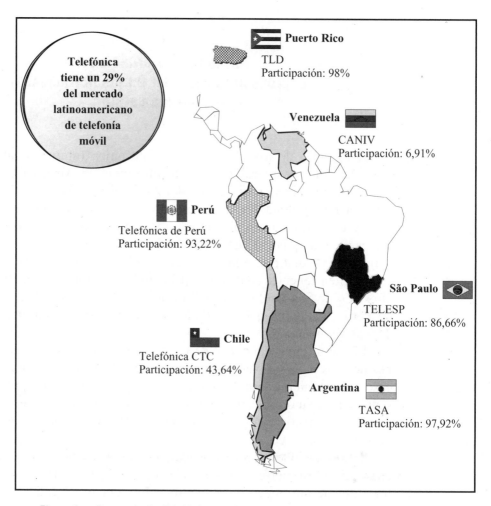

Figura 6.   Presencia de Telefónica en América Latina en el sector de telefonía fija.

— Conocer en profundidad el mercado, su evolución, el entramado financiero y legal y la situación de la operadora local que se privatiza. Además de disponer de los correspondientes estudios de mercado, es preciso conocer el «pulso» y «los matices» que sólo alguien del propio mercado puede interpretar correctamente.

— Conocer los aspectos culturales más importantes del país en cuestión para poder negociar de forma eficaz.

— Saber «quién es quién» en el ámbito empresarial y político.

— Vencer la imagen de empresa extranjera «imperialista» que aterriza en un nuevo mercado.

— Superar un *made in* España poco conocido y que, hace unos años, proyectaba una imagen de baja capacidad de gestión empresarial. Dentro del sector de las telecomunicaciones (y también en otros sectores de servicios públicos y financieros) esta percepción ha cambiado considerablemente en Latinoamérica debido a la capacidad de gestión demostrada y los resultados obtenidos por las empresas españolas más importantes. Sin embargo, en las primeras etapas de introducción en esta área geográfica constituía una barrera importante.

Una buena estrategia para salvar toda esta serie de impedimentos es aliarse con socios locales que aportan el conocimiento del país y del sector, para presentarse conjuntamente a las licitaciones públicas. La búsqueda y las negociaciones con un buen socio local son claves tanto para presentar una buena oferta como para la operación posterior de la empresa adquirida. Pero identificar al socio adecuado y negociar un buen acuerdo no son tareas fáciles.

¿Cómo se ha desarrollado este proceso negociador? Se trata de un proceso por etapas, tal y como se refleja en la figura 7, aunque no siempre se suceden secuencialmente.

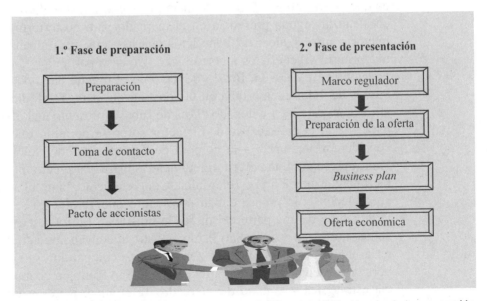

Figura 7. El proceso negociador para la presentación a una licitación: desde la preparación hasta la presentación de la oferta económica.

La preparación

Cuando en un país se plantea la posibilidad de iniciar un proceso privatizador, la empresa interesada en participar en él empieza por estudiar el mercado y a la operadora local que sale a licitación a través de los datos públicos de ésta. La información que se recopila en esta fase se centra en:

— Situación económica del mercado y perspectivas.
— Aspectos demográficos y tendencias.
— Tamaño del mercado y evolución en el futuro.
— Análisis de la competencia (otros operadores extranjeros).
— Análisis del marco regulatorio (normativa legal, tarifas, servicios, reglas de interconexión, etc.).
— Análisis de la empresa de telecomunicaciones local.
— Información en torno a grupos económicos de referencia del país (grupos industriales, financieros y familiares).

Por otro lado, delimita cuáles son los objetivos de la negociación y el equipo negociador. Los objetivos de Telefónica son estrictamente empresariales, aunque la estrategia puede variar según los mercados y la situación en que se encuentran. No es lo mismo negociar cuando el objetivo se centra en alcanzar alguna presencia en el mercado para posteriormente tomar un mayor control y alcanzar beneficios que negociar para alcanzar un control mayoritario y beneficios a corto plazo. Un caso particular es el de la privatización de Telebras en Brasil, donde todo el mundo daba por hecho que el interés de Telefónica estaba en la zona sur del país. Telefónica dejó que se alimentara esta idea y llegado el día de subasta presentó una oferta ganadora para la región de São Paulo. El factor sorpresa permitió que el candidato considerado «natural» a la compra de Telesp (operador telefónico de São Paulo) presentara una oferta ligeramente superior al precio mínimo, que fue fácilmente superada por Telefónica. Concretamente, tanto el sector como la competencia y la prensa daban por seguro que Telefónica se presentaría a la licitación de una parte del mercado brasileño. En total se repartía en tres zonas: norte, sur y zona São Paulo. Existía el convencimiento de que prepararía una buena oferta para la zona sur. Los competidores se relajaron a la hora de presentar su oferta para la zona de São Paulo, la de mayor importancia estratégica y tamaño de mercado. Telefónica, para sorpresa de todos, presentó una buena oferta a la zona de São Paulo, que le fue adjudicada. La competencia había bajado la guardia.

Por otro lado, aunque en muchos casos los grupos industriales locales tengan características de grupos familiares, el equipo negociador de los candidatos a socios locales suele estar compuesto por personas muy preparadas cultural y profesionalmente. La gran mayoría tienen un bagaje intelectual importante y han estudiado en las universidades norteamericanas de mayor prestigio (Harvard, Chicago, MIT, etc.). Esta circunstancia influye en la forma de negociar; generalmente cuanto mayor es la preparación del negociador, más fluida es la negociación.

Normalmente en el equipo negociador de Telefónica nunca faltan expertos en las áreas clave: financiera, jurídica, técnica y de negocio.

La toma de contacto

Tras la fase de preparación, o simultáneamente, se inicia la aproximación a grupos económicos locales. Normalmente, en América Latina estos grupos son de carácter empresarial y familiar, de antigua implantación en sus países y buenos conocedores de su país y su mercado.

La búsqueda de socios locales en América Latina suele ser más sencilla para empresas españolas que para otras empresas extranjeras. El hecho de hablar la misma lengua y coincidir en aspectos culturales ayuda a vencer muchas barreras en las negociaciones previas para alcanzar el acuerdo que se denomina «pacto de accionistas». Como ya se ha comentado, en las primeras etapas de internacionalización de Telefónica el acercamiento exigía mayor esfuerzo debido al desconocimiento sobre la capacidad empresarial de las empresas españolas. En Brasil, por ejemplo, tras un estudio exhaustivo del mercado y sus necesidades respecto al sector de las telecomunicaciones, Telefónica preparó un documento de presentación de la empresa. Con este documento se pretendía dar a conocer la empresa (a posibles socios locales) destacando y demostrando:

— Su capacidad de gestión.
— Su capacidad de adaptación al mercado. España en los años ochenta había arrastrado una situación y una problemática muy parecidas a las que en los años noventa presentaban ciertos mercados latinoamericanos. Éste era un valor añadido importante frente a otras operadoras extranjeras, que contaban con una experiencia bien distinta en sus mercados de origen.
— El hecho de que Telefónica fuera una empresa privada. Existía la creencia generalizada de que era una empresa pública.

— La rentabilidad obtenida por Telefónica en los últimos años.
— La disposición de Telefónica para trabajar con socios locales e incluso con una participación minoritaria en el capital de la operadora que se iba a privatizar.

Actualmente las circunstancias en que se realiza la toma de contacto han variado. Hoy el *made in* España está mejor valorado. Por otra parte, la capacidad de gestión y los resultados de Telefónica Internacional en varios mercados latinoamericanos han contribuido a esta situación favorable. La empresa es mucho más conocida y cuenta con una probada capacidad de gestión empresarial.

La negociación del «pacto de accionistas»

La tercera etapa de la negociación es lo que se conoce con el nombre del «pacto de accionistas», que se centra en múltiples aspectos de la colaboración entre Telefónica y sus socios locales. Los que resultan más conflictivos para establecer acuerdos son los siguientes:

— Delimitación de la estructura organizativa de la nueva empresa (en caso de ganar la licitación). Lógicamente el socio local intenta tener alguna presencia importante en la organización.
— Participación en la gestión de la nueva empresa. Éste suele ser un punto no negociable por parte de Telefónica, que se reserva la gestión del negocio. Sin embargo, suele ser objeto de largas negociaciones, ya que en ciertos casos los socios están interesados en participar en la gestión y en obtener unos honorarios por esta labor (*management fee*).
— Intercambio de acciones una vez adquirida la operadora privatizada.
— Compromiso para impedir la venta de acciones de la nueva operadora por parte del socio local a la competencia de Telefónica.

Encontrar un buen socio local no es fácil. Además de necesitar que sea influyente, debe tener una predisposición real a colaborar en un objetivo común. Las negociaciones se van desarrollando a través de preacuerdos. El primero de ellos suele ser el preacuerdo relativo a la privacidad de la información. En los primeros contactos ambas partes intercambian información. Como en toda negociación, al inicio no se muestran todas las cartas, se suele reservar parte de la información. Si llegado un momento la negociación no puede avanzar sin intercambiar algún tipo de información que una de las partes puede considerar confidencial, es preciso firmar un acuerdo de confidencialidad que garantice que la información intercambiada se mantendrá reservada incluso en el caso de que las conversaciones no lleguen a progresar.

Generación del marco regulador

Ésta es una etapa muy importante del proceso. El gobierno debe aprobar el marco regulador por el cual se regirán las nuevas condiciones de mercado en las que operará la empresa de telecomunicaciones privatizada tras la adjudicación.

Lógicamente, las normas que se aprueben influirán en la oferta de servicios que la nueva operadora deberá prestar, así como las tarifas que fijará. Todo ello tiene un reflejo en la oferta económica final, que se presentará a la licitación (subasta o concurso).

También las autoridades públicas aprueban el pliego de condiciones para presentarse y el contrato de concesión.

En este período la empresa necesita estar permanentemente al día de las negociaciones y decisiones políticas que se desarrollan en el país para aprobar dicho marco regulatorio. Lo habitual es que el gobierno local solicite la opinión y la colaboración tanto de las empresas que tienen intención de presentarse a la licitación como de bancos de inversión y asesores de prestigio internacional.

En esta etapa es básico el papel que juegan los socios locales. Hay países, como Estados Unidos, en los que también entran en juego, de forma muy eficaz, las representaciones oficiales, como embajadas o consulados, y las organizaciones empresariales, como las Cámaras de Comercio, que negocian políticamente al más alto nivel en lo que se denomina la diplomacia comercial.

La preparación de la oferta

Antes de preparar la oferta se necesita obtener mucha información. Normalmente, el organismo público que convoca la licitación organiza los denominados *dataroom,* en los que ofrece información y datos sobre la empresa objeto de licitación (auditoría, balances, memoria, activos, plantilla, fondos de pensiones, compromisos con suministradores, deudas, situación fiscal, marco legal que incide sobre la empresa, etc.). En principio, el organismo público se mostrará dispuesto a facilitar cualquier información adicional a

CUADRO 1

Ejemplo de actuación de lobby

> Extracto de la carta de la empresa norteamericana BellSouth dirigida a la representación diplomática de Estados Unidos en Lima solicitando su intervención ante las autoridades peruanas para impedir que se lleve a efecto determinada regulación legal (traducción del extracto del texto):
>
> [...] Apreciamos enormemente el papel que el gobierno de Estados Unidos ha jugado en nombre de BellSouth para abrir el mercado de las telecomunicaciones de Perú a la competencia. Ambos, la Oficina Comercial y la Embajada de Estados Unidos en Lima, han trabajado diligentemente para canalizar nuestros requerimientos en relación a los precios de interconexión basados en costes. Desde luego, se ha conseguido algún progreso. Sin embargo, todavía subsiste la posibilidad de que las autoridades peruanas aprueben normativas que son anticompetitivas [...].
>
> [...] Como resultado, solicitamos respetuosamente que la Oficina de Representación de Comercio de Estados Unidos tome nota de los intereses de BellSouth y realice de forma inmediata contactos con los reguladores peruanos —antes de que las propuestas sobre la nueva regulación sean efectivas— para asegurar que estas nuevas normativas anticompetitivas se lleven a efecto.

las empresas, que normalmente están ya precalificadas. Un análisis profundo de la información, extensa y compleja, que se ofrece en el *dataroom* es clave. Telefónica Internacional envía un número considerable de expertos desde su central en Madrid; para Brasil intervinieron en este análisis un centenar de técnicos. Además se contrata a consultores —normalmente multinacionales del sector de la consultoría— y despachos de abogados locales. También cuenta con el apoyo del socio local para saber interpretar correctamente la información.

El *business* plan

Con la información obtenida del *dataroom* sobre el mercado, el marco regulatorio y sobre la empresa, y contrastando los objetivos estratégicos de Telefónica en el mercado, se prepara un plan de negocio interno. El plan de negocio se centra en un análisis de la rentabilidad del proyecto.

La oferta económica

Una vez elaborado el plan de negocio, y con la ayuda de un banco de inversiones, que realiza una valoración de la empresa local en venta, se presenta la oferta económica. En el caso de las subastas se trata de dar un valor, es decir, el precio al que Telefónica está dispuesta a comprar. En los concursos la oferta económica se tiene que acompañar de un plan de negocio y de un modelo de desarrollo de gestión.

La oferta económica no obedece exclusivamente a criterios de valoración de la empresa en venta. Normalmente la licitación sale con un precio mínimo. La primera cuestión a resolver será: ¿ese precio mínimo es razonable?; en caso contrario, ¿cuál sería el precio? Otras cuestiones importantes que se plantean son: ¿qué oferta presentará la competencia? y ¿qué prima se está dispuesto a pagar por razones estratégicas? El precio que finalmente se paga tiene que estar avalado por una opinión autorizada de uno o más bancos inversores. Es lo que se llama *fairness opinion,* y es lo que garantiza al accionista que el precio que el gestor ha optado por pagar es razonable dentro de los parámetros estratégicos y de negocio que el consejo de administración haya señalado en su momento.

En la mayoría de los mercados latinoamericanos las licitaciones no son por el 100% del capital. Por ejemplo, en Argentina se ofertó comprar el 55% del capital de la operadora Tasa. Una vez adjudicado este paquete al grupo formado por Telefónica Internacional, junto con el Citibank y el socio local, y transcurrido un año en el que las acciones habían triplicado su valor tres o cuatro veces, el gobierno argentino sacó a Bolsa el resto del paquete, excepto un 10% que se repartió entre los trabajadores.

Telefónica ganó la adjudicación de la participación de capital de las empresas Tasa de Argentina y Telesp de Brasil. En Argentina se presentó junto a varios socios que conformaron el grupo Cointel (entre ellos el grupo familiar-industrial Techint). En Brasil se presentó con Iberdrola y el socio local RBS. Posteriormente, a través de la famosa «operación Verónica», se hizo con el control de más del 80% de la operadora argentina y del 55% de la operadora brasileña, comprando su parte a los socios, con los que había concurrido a las licitaciones.

5.
Ulma Packaging: Cómo negociar un contrato de distribución internacional *

La cooperativa vasca Ulma Packaging, ubicada en la villa de Oñate (Guipúzcoa), es fabricante de maquinaria para envase y embalaje. Se creó en el año 1956 como parte del grupo Ulma, que a su vez se encuadra dentro del grupo MCC (Mondragón Corporación Cooperativa). El motor de arranque de su actividad internacional fueron los elevados costes de I+D. Las inversiones necesarias para desarrollar nuevos productos no se amortizaban centrando las ventas exclusivamente en el mercado nacional; la solución pasaba por la apertura hacia mercados exteriores. Desde el año 1992 hasta el 2001, la actividad internacional pasó del 30 al 70% sobre el volumen de ventas total, y la plantilla responsable del negocio en mercados exteriores se incrementó de 192 a 400 personas.

A lo largo de este período uno de los hechos de mayor trascendencia en la gestión de Ulma, que influyó decididamente en la buena marcha del negocio internacional, fue el cambio en la estructura organizativa de la empresa. De una organización fundamentada en líneas de productos se pasó a una estructura organizada por segmentos de mercado o tipología de clientes. Este cambio obedecía a una estrategia de base clara: la orientación de todo el negocio hacia el cliente. Concretamente se establecieron cuatro unidades de negocio: alimentación (el segmento más importante), no alimentación (por ejemplo: productos de droguería, pilas, bombillas, componentes electrónicos, etc.), distribución (grandes superficies y cadenas de supermercados) e ingeniería (clientes que demandan maquinaria a medida o nuevas aplicaciones). Dentro de cada unidad de negocio se ofrecen las cinco líneas de producto que fabrica Ulma: maquinaria de film extensible, de *flow pack,* de termoformado, retráctil y maquinaria de envase vertical.

Ulma exporta a más de cuarenta países. La expansión internacional se ha realizado a través de distribuidores y filiales comerciales. La tendencia es a establecer filiales cuando el mercado adquiere cierta importancia por volumen de ventas o por motivos estratégicos. La razón es evidente: la proximidad al cliente es fundamental, especialmente en un producto como el de

* Nuestro más sincero agradecimiento a Txomin García, gerente de Ulma Packaging, por la ayuda, el tiempo y la colaboración prestados para la elaboración de este caso.

la maquinaria de envase y embalaje que exige un servicio posventa, que no siempre puede ser ofrecido de forma adecuada por los intermediarios comerciales. A lo largo del proceso de internacionalización Ulma ha ido estableciendo filiales comerciales en Alemania, Argentina, México, Brasil, Estados Unidos, Francia y Sudáfrica.

Para la entrada en nuevos países o para vender en mercados que no se consideran prioritarios se utilizan distribuidores que compran la maquinaria a la empresa guipuzcoana y se encargan de comercializarla dentro de su área geográfica de actuación. La marca que utilizan puede ser la de Ulma o la del propio distribuidor.

¿Cómo se realiza la búsqueda y la negociación con los distribuidores?

El primer paso consiste en la identificación de buenos distribuidores. Las fuentes de información sobre posibles distribuidores en mercados exteriores pueden ser las oficinas económicas y comerciales de España en el exterior, las Cámaras de Comercio, las asociaciones de exportadores en España, las asociaciones de agentes y distribuidores comerciales en otros países, etc. Aunque Ulma utiliza estas fuentes, hay otras que le han resultado especialmente eficaces:

— El contacto con posibles distribuidores en ferias internacionales del sector en las que Ulma participa regularmente.

— A través de contactos facilitados por otras empresas del sector que fabrican productos relacionados con los de Ulma (por ejemplo, fabricantes de films).

— Mediante distribuidores que toman la iniciativa de contactar con Ulma. Al haber alcanzado una consolidación en el mercado internacional, las empresas del sector conocen su actividad y sus productos.

— A través de Internet. En el año 2001 crearon una nueva página web organizada, igual que la empresa, por tipología de clientes. Mediante una potente base de datos de posibles distribuidores en 52 países, iniciaron la toma de contacto enviando *e-mails* y dirigiendo al destinatario interesado hacia la información que, según su perfil, pudiera interesarle más dentro de la web.

Una vez que se ha producido un intercambio de información por carta, fax, teléfono o *e-mail,* los responsables de Ulma se desplazan al país para visitar al posible distribuidor. La visita es importante. Muchos distribuidores que se perciben como «ideales» para el desarrollo del negocio en otros mercados dejan de serlo tras la primera visita. El contacto personal permite comprobar muchos matices que a distancia no se aprecian, especialmente la aptitud, es decir, el interés por realizar un esfuerzo para introducir los productos de Ulma en el país en cuestión. A la mayoría de los distribuidores no les perjudica añadir nuevas líneas de producto a su oferta, ya que ésta mejora al ser más amplia. Sin embargo, esto no significa que vayan a realizar el esfuerzo necesario para desarrollar todas las posibilidades que tienen los productos de Ulma. La empresa vasca ha llegado a firmar acuerdos con distribuidores sin experiencia en el sector de la máquina de envase y embalaje sólo por la buena aptitud y disposición mostrada por la persona responsable. Una dificultad añadida es la de encontrar distribuidores que comercialicen la amplia gama de maquinaria de Ulma, ya que suelen estar centrados en una o dos líneas de productos de las cinco que tiene la empresa vasca.

Normalmente se desplazan al país para conocer el perfil del posible distribuidor, el gerente de Ulma, Txomin García, y uno de los jefes de área comercial, según de qué zona geográfica se trate. Además de valorar la aptitud, se analizan otra serie de características, tal y como se contempla en el cuadro 2.

CUADRO 2

Check-list del perfil de distribuidores

☞ Aptitud: interés en colaborar.
☞ Cuota de mercado, contactos y clientes.
☞ Áreas geográficas que cubre.
☞ Infraestructura (almacenes, puntos de venta, oficinas, etc.).
☞ Productos y empresas representadas.
☞ Solvencia financiera.
☞ Organización y calidad de la fuerza de ventas.
☞ Capacidad de servicio postventa.
☞ Política de comunicación (promoción de ventas, asistencia a ferias, *mailings*, etc.).
☞ Conocimiento del producto.
☞ Experiencia.

FUENTE: A. Nieto y O. Llamazares, *Marketing internacional,* Pirámide, Madrid, 1998.

Las negociaciones varían mucho según la cultura de la contraparte. Con los norteamericanos o los alemanes las negociaciones se centran en aspectos exclusivamente económicos y comerciales; la relación es muy directa, más ágil y práctica con los primeros y un poco más rígida con los segundos.

A los alemanes le gusta que todos los detalles queden reflejados de forma expresa en un contrato escrito. La negociación con brasileños es muy distinta, pues la relación es mucho más personal. En el sudeste asiático la negociación de precios es muy dura y es el aspecto que ocupa el mayor tiempo de las discusiones. En la mayoría de los países asiáticos las negociaciones son lentas, especialmente en la fase de toma de contacto. Por ejemplo, en Japón, Ulma tomó contacto con Aritsu, la empresa de mayor venta de maquinaria de envase y embalaje. Las negociaciones para poder contar con su colaboración como distribuidores en Japón duraron un año; parecía que los japoneses tenían muchas dudas y desconfianza; la última reunión fue decepcionante: los directivos de Ulma volvieron a casa con las manos vacías. A las dos semanas, Aritsu les telefoneó para confirmarles su decidida intención de ser su distribuidor en Japón.

Tras la primera visita, si el perfil del distribuidor es adecuado para Ulma, se pasa a discutir las condiciones de un posible acuerdo. La lista de asuntos a tratar es la siguiente:

— Área geográfica.
— Productos/maquinaria a distribuir.
— Precios.
— Formas de pago.
— Exclusividad.
— Volumen de ventas mínimo.
— Servicio posventa.
— Cursos de formación.
— Piezas de repuesto.
— Política de promoción.
— Asistencia a ferias.

En estas negociaciones suele haber dos temas de difícil negociación para cada una de las partes. Por un lado, Ulma —debido a su conocimiento de los mercados— trata de fijar los precios de venta al cliente y, por otro, el distribuidor es difícil que acepte establecer en el contrato un volumen de ventas mínimo. Ulma discute los temas prioritarios casi desde el comienzo de las negociaciones; para el final quedan los asuntos colaterales o «flecos». Durante las negociaciones, el posible distribuidor generalmente visita las instalaciones de Ulma, con ello se persigue que el futuro socio comercial conozca bien la empresa.

© Ediciones Pirámide

En las primeras etapas de internacionalización de la empresa las negociaciones eran más duras. La empresa no era conocida y arrastraba el hándicap de un *made in Spain* poco favorable en esa época. Realmente la imagen industrial y tecnológica de España no es que fuera mala, pero sí desconocida. Este hecho implicaba cierta desconfianza sobre la calidad del producto industrial fabricado en España. La situación ha ido mejorando en los últimos años, tanto en la percepción del *made in* de España como en el conocimiento sobre la empresa, lo cual ha contribuido a mejorar la posición negociadora de Ulma.

Ulma asigna dos personas de plantilla para perfilar la relación definitiva con el distribuidor: una se ocupa de todo lo relativo a la venta de la maquinaria y la otra negocia todos los aspectos relativos al servicio postventa. El equipo técnico del distribuidor recibe un curso de una semana de duración en las instalaciones de Ulma, en Mondragón, para que estén en condiciones de ofrecer a los clientes un servicio adecuado.

En la redacción del contrato de distribución es aconsejable contar con el asesoramiento de un experto legal que conozca las prácticas y usos comerciales, así como la legislación del país donde está ubicado el distribuidor. Uno de los aspectos que debe quedar bien claro son las posibles indemnizaciones en caso de resolución anticipada del contrato. La legislación varía mucho según los países. Así, por ejemplo, en la legislación española se reconoce al distribuidor el derecho a percibir cantidades durante cierto tiempo, una vez resuelto el contrato, mientras que en el Reino Unido este derecho no es reconocido.

Txomin García aconseja prestar especial atención a los siguientes aspectos en una negociación con distribuidores:

— No establecer una negociación con un distribuidor sin tener claros los objetivos que se quieren conseguir.
— No improvisar. Preparar bien la negociación. Para ello es clave obtener la máxima información sobre el distribuidor y el mercado en el que actúa.
— Evaluar los beneficios —o pérdidas— que puede obtener la contraparte con el contrato de distribución.

Estrategias y tácticas por países

Alemania	Estados Unidos	Países Bajos
Arabia Saudí	Francia	Polonia
Argentina	Hungría	Portugal
Australia	India	Reino Unido
Brasil	Indonesia	República Checa
Chile	Israel	Rumanía
China	Italia	Rusia
Corea del Sur	Japón	Suecia
Egipto	Marruecos	Suiza
España	México	Turquía

ALEMANIA

— Alemania es el mercado europeo de mayor tamaño, elevado poder adquisitivo a la vez que escaso riesgo, por lo que constituye un objetivo de todas las empresas que quieren internacionalizarse. La ampliación de la Unión Europea a los países del Este refuerza su posición como gran potencia económica.

— Es también un mercado muy saturado: la entrada de un producto supone el desplazamiento de otro. Antes de realizar una propuesta hay que estudiar el mercado, diseñar una estrategia y, sobre todo, no actuar de forma precipitada.

— La principal característica del mundo de negocios alemán es el *ordnung* (orden). Normas, códigos, regulaciones, dominan las relaciones empresariales. Si se quiere tener éxito hay que mentalizarse y estar preparado para cumplirlas.

— Aunque para muchos productos se puede considerar el mercado alemán como una unidad, no hay que olvidar que es un país federal con 16 Estados Federados (conocidos como *Länder*), 11 iniciales más los cinco en los que se dividía la antigua Alemania del Este. Entre estos Estados, además de diferencias administrativas, también hay diferencias culturales, por lo que algunos productos pueden tener una buena acogida en el sur (por ejemplo, en Baviera) y mala en el norte (Hamburgo).

— El directivo alemán se concentra en dos objetivos: la calidad del producto y el servicio. Se orienta sobre todo hacia la producción y a los aspectos técnicos. Los estudios universitarios tienen un alto componente científico. Hasta la década de 1980 no se introdujeron los estudios de dirección de empresas.

— El tamaño del mercado alemán y el elevado número de clientes potenciales aconsejan, en ocasiones, la utilización de agentes comerciales. Se trata de profesionales muy acreditados con una elevada especialización sectorial (conocidos como agentes multicartera). La búsqueda y selección puede hacerse a través de la Central Alemana de Representantes (CDH).

— Las citas deben establecerse con bastante antelación (al menos tres semanas) y al más alto nivel posible.

— La puntualidad en todos los aspectos comerciales (reuniones, plazos, pagos, etc.) es obligada. Si se han previsto treinta minutos para una presentación, no deben excederse. Una actitud relajada con el tiempo se asimilará a una actitud relajada en los compromisos que se vayan a pactar.

— Debe prepararse una agenda con los temas a tratar en cada reunión y atenerse estrictamente a ella. Las reuniones tienen que empezar y terminar a la hora prevista.

— Las introducciones y la charla preliminar son muy breves. En seguida se entra en materia.

— El alemán es un idioma complejo y preciso. A menos que se domine, es mejor utilizar el inglés, ya que no les gusta que se cometan errores en su idioma.

— En las presentaciones se debe utilizar un lenguaje directo, claro y lógico, apoyado en datos, gráficos y presentaciones estructuradas. Al alemán le importan más los hechos que la imagen o la historia de la empresa.

— Conviene entrar en detalles acerca de las ventajas y características de las propuestas. Las presentaciones que pretenden dar una visión general de la empresa y, a partir de ahí, dejar la iniciativa al interlocutor no son bien vistas.

— Hay que respetar los turnos de intervención de cada una de las personas que participan en la negociación. No se debe interrumpir con preguntas o matizaciones.

— En la argumentación no debe criticarse a la competencia propia ni a la de la empresa alemana. Cada empresa se juzga por sus propios méritos, no en comparación con otras.

— Los alemanes son conservadores en su forma de hacer negocios: rara vez aceptan nuevas ideas y conceptos. Son reacios a introducir cambios, a menos que se les convenza con hechos probados.

— Tienen aversión al riesgo. De ahí que quieran dejar muy claro cada punto que se negocia e incluso ponerlo por escrito para que no haya dudas.

— Hay que estar preparado para contestar todas las preguntas que pueden surgir con motivo de una propuesta. No les gusta que «tenga que consultarse» cuando se viaje de regreso.

— Los alemanes no hacen concesiones fácilmente, pero tampoco les gusta el enfrentamiento. El estilo de negociación es cooperativo, y busca obtener beneficios para las dos partes que permitan avanzar cuando se ha llegado a una situación de *impasse*.

— No debe presionarse al interlocutor para que decida rápidamente, ya que las decisiones se suelen tomar de forma consensuada. Por este motivo se prolongan más que en otros países occidentales.

— Los contratos son muy detallados. Una vez que se firman, deben cumplirse sin modificaciones. Para los alemanes, la firma del contrato supone el fin de las negociaciones.

— Alemania no es una sociedad litigiosa. Los desacuerdos se tratan preferentemente fuera de los tribunales de justicia. Las Cámaras de Comercio y las asociaciones empresariales juegan un importante papel al respecto.

— Los alemanes no son *workaholics*: se toman cuatro semanas de vacaciones al año y su jornada laboral termina entre las 16.00 y las 17.00 horas —hacer horas extra se percibe más bien como una falta de organización que impide el uso efectivo del tiempo—. No deben concertarse citas fuera de este horario, ni esperar que trabajen en fines de semana o durante las vacaciones.

— No es necesario tratar de establecer relaciones personales para favorecer los negocios. La vida personal se separa de la profesional.

ARABIA SAUDÍ

— Arabia Saudí es el centro de la cultura islámica y el país árabe más rico gracias a su industria petrolera, que mantiene unas enormes reservas.

— La economía saudí depende de proveedores extranjeros para el suministro de todo tipo de productos y la realización de infraestructuras —la competencia local es escasa.

— Si se quiere hacer negocios de cierto nivel en Arabia Saudí es aconsejable utilizar los servicios de un agente o buscar un socio. Facilitarán el acceso a la Administración y los contactos con los principales grupos empresariales y la familia real.

— Para elegir al mejor agente o socio habrá que informarse a través de los bancos, los servicios comerciales de las embajadas u otras empresas extranjeras presentes en el país. Las empresas o agentes locales no son una buena fuente, ya que los saudíes no tienen por costumbre dar información de otras empresas del país.

— Las citas de negocios deben establecerse con, al menos, un mes de antelación. En la comunicación que se dirija a la empresa saudí deben sugerirse dos o tres fechas posibles.
— A los saudíes les gusta saber y valorar con quién están tratando antes de entrar en las negociaciones. Ello implica dedicar tiempo a establecer relaciones personales. Hay que dejarles a ellos la iniciativa para empezar a hablar de negocios.
— Los saudíes conceden mucha importancia al estatus profesional. Los negociadores extranjeros deben ser directivos de la empresa y tener poder para tomar decisiones.
— Los negocios se establecen sobre la base de las relaciones personales, no entre las empresas ni a través de contratos.
— Se espera que el visitante extranjero sea puntual, aunque es habitual que las citas se retrasen, se cambien para otro día o incluso se cancelen sin previo aviso, como una demostración de poder.
— La mejor hora para concertar visitas es a media mañana o por la tarde. En Jiddah y otras ciudades las oficinas se mantienen abiertas hasta las 21.00 h.
— Durante la reunión es fácil que la conversación sea interrumpida por llamadas de teléfono, asuntos que hay que despachar urgentemente o, incluso, la entrada de otros visitantes.
— Hay hombres de negocios saudíes que tratan sus asuntos en los llamados *majlis* o *diwan* (cuando tienen lugar en la propia casa del empresario). Son como una especie de audiencias en las que los visitantes esperan todos juntos en una gran estancia a ser recibidos.
— El saudí es muy dado a la exageración en sus gestos y comentarios: aunque puede parecer que están enfadados, es su comportamiento normal.
— El espacio físico entre los interlocutores es más corto que en Occidente y el tono de voz es bajo, por lo que, a veces, es necesario acercarse mucho para entenderse.
— Los períodos de silencio son normales en el transcurso de una negociación. Hay que respetarlos. Cuando el interlocutor mantiene un silencio muy prolongado y mira al vacío, es señal de que la reunión ha terminado.
— En ocasiones, los negociadores saudíes puede resultar arrogantes con una actitud desafiante del tipo «lo toma o lo deja», fruto de su poder y riqueza procedente de los recursos petrolíferos.
— El precio debe discutirse en un tono amistoso (entre amigos). Se empieza en un nivel artificial muy alto y se van concediendo mejoras progresivas. No hay que sorprenderse por propuestas iniciales que pueden pa-

recer ridículas. Se trata de una forma tradicional de empezar a negociar con la que se pretende disponer de un amplio margen de maniobra.

— Los hombres de negocios saudíes están bien informados y conocen la oferta mundial de sus sectores. No hay que realizar propuestas que estén fuera de mercado, ya que podrían considerarlo ofensivo.

— Sus afirmaciones nunca son claras. Un «sí» rotundo debe interpretarse como un «posiblemente».

— La paciencia es fundamental. No debe presionarse para conseguir decisiones rápidas. El negocio se realizará *Insha´allah* («si Dios quiere»). No obstante, el agente o socio sí puede resultar eficaz para acelerar las decisiones.

ARGENTINA

— A pesar de sus riquezas naturales, Argentina es un país difícil para hacer negocios: crisis económica, inestabilidad política, deuda externa, inflación, etc.

— Argentina es el país más europeo de América Latina. La mayoría de argentinos descienden de inmigrantes españoles e italianos y existe un gran admiración por la cultura europea, especialmente la francesa y la inglesa. Se dice que los argentinos «son españoles que actúan como italianos aunque quisieran ser británicos».

— Argentina es un país de conexiones. Existe un entramado de relaciones familiares, políticas y empresariales que dominan el mundo de los negocios.

— Debido a su personalidad optimista y locuaz, puede dar la impresión de que los negocios se cierran fácilmente y los acuerdos se van a cumplir a rajatabla. Nada más lejos de la realidad.

— El nombramiento de un representante facilita la introducción del producto en el país. Los representantes funcionan más como distribuidores que como agentes, asumiendo las tareas de distribución al por menor, logística, servicio postventa, etc.

— Para realizar operaciones de comercio exterior es obligado inscribirse en el Registro de Importadores y Exportadores de la Administración Nacional de Aduanas. A través de este organismo pueden conseguirse listados de las empresas argentinas que importan cada producto y de quienes son sus proveedores extranjeros.

— El ambiente de la negociación es formal. Sobre todo en los primeros encuentros hay que mostrar una actitud educada y cortés.

— La conversación se inicia con una charla informal sobre temas generales. El tiempo que se tarda en entrar en materia varía con cada interlocutor, pero no suele exceder la media hora.

— La forma de negociar es distendida. Los argentinos detestan las relaciones comerciales bajo presión. Las tácticas agresivas o de confrontación tienen un efecto contraproducente.

— Los argentinos tienen un enfoque subjetivo de los temas. Los hechos se aceptan siempre que no contradigan sus ideas.

— Hay que dedicar tiempo a las relaciones personales. Las actividades sociales son muy importantes y constituyen un aspecto clave para hacer negocios.

— Es importante conocer qué experiencia internacional tiene la empresa o los directivos con los que se está tratando. Cuanto mayores sean sus relaciones con el exterior, más posibilidades habrá de llegar a acuerdos.

— La estructura organizativa de las empresas está muy jerarquizada. Casi todas las decisiones se toman en la cúspide de la pirámide. Tratar con ejecutivos de nivel medio no suele dar frutos.

— Se debe ser puntual, aunque la otra parte llegue con un retraso de hasta treinta minutos, que se considera «normal».

— Los argentinos son duros negociadores. Cada aspecto de una propuesta se analiza de forma separada y será objeto de petición de mejora. Las concesiones se hacen poco a poco y a regañadientes, aunque ellos partan de una posición débil. Hay que estar preparado para largas discusiones.

— Es aconsejable plasmar los acuerdos en contratos en los que se establezca con claridad las funciones y obligaciones de las partes. En Argentina no existe una legislación específica que regule las relaciones comerciales entre empresas, por lo que en caso de litigio hay que acudir a la jurisprudencia.

AUSTRALIA

— Australia es un democracia occidental, de cultura típicamente anglosajona, situada en la zona del Pacífico Sur. Tiene enormes recursos naturales y una amplia oferta productiva (minerales, carbón, aluminio, maquinaria, equipamiento de transporte). Sus principales socios son Japón y Estados Unidos. Es un mercado sometido a una fuerte competencia.

— A pesar de su enorme extensión (similar a la Estados Unidos), los centros de distribución están concentrados en cuatro ciudades: Sydney, Melbourne y Brisbane, en la costa este, y Perth en el oeste.

— Dada la lejanía del país y el alto coste de los viajes, conviene contrastar antes las posibilidades de negocio, y si son favorables realizar la visita.

— La forma de acceso al mercado es generalmente a través de un importador-distribuidor —lo más habitual es que una misma empresa cumpla las dos funciones—. Las empresas de distribución suelen tener un ámbito regional (uno o dos estados todo lo más). En la negociación con el distribuidor un aspecto clave, que solicitarán, es la concesión de exclusividad para su zona.

— A los australianos les gusta investigar acerca de sus posibles proveedores o socios. Es muy posible que antes de la primera reunión pidan informes comerciales de la empresa extranjera con la que van a negociar.

— En el tejido empresarial australiano dominan las pymes. Por tanto, la persona de contacto suele ser el *Managing Director* (gerente).

— No es difícil acceder a las empresas australianas. Sus directivos son abiertos y no tienen inconveniente en concertar entrevistas con posibles nuevos socios o proveedores.

— El comportamiento debe ser amistoso e informal. No les gusta la gente que trata de impresionar, aparentar o mostrarse superior. El dicho local *cutting down the tall poppy* («cortar las amapolas altas»), derivado del espíritu de superioridad del Imperio británico, expresa muy bien esa actitud.

— Los australianos, al igual que los británicos, tienen poco conocimiento de idiomas extranjeros. Las negociaciones se realizarán en inglés.

— Debe utilizarse un lenguaje directo y preciso. Hacer hincapié en los aspectos prácticos y en los beneficios que pueden obtenerse. El sentido del humor es muy apreciado.

— No es conveniente dar demasiados detalles ni abrumar con cifras. La brevedad se considera una virtud.

— Desde el principio debe suministrarse la información esencial. Se sienten decepcionados si se dan cuenta de que se les ocultan aspectos relevantes del negocio.

— En la negociación hay que buscar el equilibrio. Aunque se parta de una posición de superioridad, debe evitarse dar la impresión de que se tiene el control. Ellos ya saben cuál es la situación de cada cual. Recordárselo es contraproducente.

— El regateo no es práctica habitual. La oferta inicial tiene que ajustarse bastante a la de cierre. Las concesiones más generosas se esperan al principio de la negociación.

— En las propuestas hay que resaltar la capacidad para suministrar de forma estable y puntual los pedidos que se realicen. Debido a la lejanía del país, tienen muy en cuenta el cumplimiento de los plazos de entrega a la hora de seleccionar a los proveedores.

— Las ofertas de los competidores son un argumento que utilizan habitualmente para negociar. Hay que estar preparado para presentar las ventajas respecto a ellos.

— Como el trato es informal y directo, las negociaciones suelen ser rápidas.

— Las decisiones se toman a nivel individual, pero siempre de acuerdo con la política de la empresa.

— Las relaciones sociales no ayudan demasiado para hacer negocios. La vida privada se separa de la vida profesional.

— A pesar de tratarse de un país abierto al comercio exterior, existen normas restrictivas que hay que cumplir, como los requisitos fitosanitarios en el embalaje de las mercancías.

— Las ferias no son un referente para promocionarse; tienen un carácter local, reducido y poco especializado. Es más fácil contactar con clientes australianos en las grandes ferias de Alemania o Estados Unidos.

— Los contratos son típicamente anglosajones. Se especifican con mucho detalle todos los acuerdos y se espera que se cumplan a rajatabla.

— A los australianos les gustan las relaciones a largo plazo; pueden llegar a ser clientes muy fieles si se le corresponde adecuadamente.

BRASIL

— Brasil es el mercado más importante de América Latina y la novena economía del mundo, pero presenta dos grandes dificultades: un fuerte proteccionismo comercial y una elevada incertidumbre en los pagos.

— Las empresas brasileñas tienen, generalmente, un nivel de profesionalidad y seriedad elevado, que no coincide con la imagen estereotipada de «carnaval y samba» que transmite el país.

— El ritmo de trabajo y de toma de decisiones es muy diferente de una zona a otra del país: los paulistas (São Paulo es el principal centro de negocios) están más próximos a los ejecutivos anglosajones, mientras que los cariocas (Río de Janeiro) tienen un comportamiento más relajado.

— Para acceder al mercado brasileño es aconsejable trabajar a través de un contacto local —se le conoce como *despachante* en portugués— que resuelva los problemas burocráticos e informe de la solvencia de las empresas.

— Es difícil que se hagan operaciones enviando catálogos, o a través de Internet, sin que exista un contacto personal. El brasileño tiene que evaluar personalmente a la persona con la que va a hacer negocios y ver físicamente el producto antes de tomar la decisión de compra.

— Para negociar en Brasil no hace falta desplazarse en equipo. Basta con que viaje un ejecutivo, acompañado de un técnico, siempre que fuera necesario.

— En las primeras entrevistas los brasileños evitan dar muchos datos e incluso proporcionan información desviada: esperan que la otra parte se comporte de la misma manera, hasta que se establezca una relación de confianza. El proceso de negociación es lento.

— Hay que evitar adoptar actitudes arrogantes o de superioridad, ya que se podrían herir susceptibilidades.

— No se deben utilizar tácticas de presión, ya que se sienten incómodos en situaciones de enfrentamiento.

— Tampoco son muy propicios al regateo. Generalmente, hacen las concesiones al final de la negociación.

— La cuestión de la forma de pago es esencial. Hay que cubrir todos los riesgos comerciales antes de comprometerse a realizar la entrega del producto.

— Los acuerdos se negocian globalmente, más que punto por punto, o de forma secuencial.

— La cultura empresarial brasileña es individualista y jerárquica. Las decisiones las suele tomar una sola persona.

— Dada la complejidad del sistema legal brasileño, es aconsejable contratar los servicios de un abogado local antes de firmar cualquier tipo de contrato. A los abogados se les conoce como notarios, aunque tienen un estatus diferente al de los notarios españoles.

— Los contratos se redactan en inglés u otra lengua extranjera y en una divisa distinta del real, sólo si una de las partes es extranjera.

— En los contratos de agencia comercial, hay que tener presente que la ley brasileña protege mucho la actividad de los agentes, estableciendo las indemnizaciones aplicables en los distintitos supuestos de rescisión.

— Brasil es el país de América Latina en el que las mujeres están más incorporadas al mundo del trabajo. En algunas negociaciones los interlocutores serán mujeres, sobre todo si se trata con pymes.

CHILE

— Chile es la economía más estable y de menor riesgo de América Latina. Su elevada tasa de apertura al exterior (cercana al 50%) muestra la competitividad de sus productos, que se distribuyen en proporciones muy similares entre Estados Unidos, UE, Asia y Mercosur.

— Es el país de América Latina con mayor influencia anglosajona a la hora de hacer negocios. Existe una fuerte presencia de multinacionales norteamericanas. También hay una colonia importante de ciudadanos de origen alemán.

— No debe asimilarse la economía chilena a la argentina. Las diferencias entre ambas son tan elevadas como la cordillera de los Andes que separa los dos países.

— La actividad empresarial se concentra en Santiago, que supone una tercera parte de la población y más de la mitad de la riqueza.

— A la hora de establecer un primer contacto es aconsejable utilizar un intermediario. Los bancos, las consultoras y las asociaciones de empresarios facilitan contactos con empresas del país.

— La capacidad para relacionarse profesionalmente es muy importante. Establecer relaciones personales que permitan iniciar negocios y resolver las dificultades que puedan surgir es clave.

— La toma de decisiones está muy jerarquizada. La primera visita debe realizarse al máximo nivel directivo, aunque las negociaciones se realicen con ejecutivos de nivel medio.

— Hay que establecer las citas con dos semanas de anticipación. Una vez en el país reconfirmar el día y la hora.

— Las secretarias juegan un papel importante a la hora de establecer citas con los directivos. Conviene mantener una actitud educada a la vez que cordial en las relaciones con ellas.

— La puntualidad es una cualidad apreciada, si bien un retraso de quince o veinte minutos se considera normal.

— En la primera reunión no se suele entrar en detalles. Se trata de que las partes se conozcan y de describir la actividad de las empresas respectivas.

— Los chilenos son francos y toman las negociaciones seriamente. El ambiente de la negociación es más formal que en otros países de América Latina. Ocasionalmente hacen uso de un sentido del humor ingenioso.

— En las presentaciones deben utilizarse argumentos subjetivos y mostrar entusiasmo más que abrumar con muchos datos.

— Se aconseja hacer hincapié en la prestación de un buen servicio y el compromiso en los plazos de entrega. Para ellos es importante debido a su posición geográfica tan lejana y a una orografía complicada.

— Las negociaciones se realizan a ritmo lento. Tardan en modificar su posición inicial. Conviene tener claro hasta dónde se puede llegar.

— Tienden a negociar punto por punto más que a la búsqueda de un acuerdo global que incluya todos los temas tratados.

— Debe evitarse el uso de tácticas agresivas, así como presionar para obtener acuerdos. La amabilidad y el respeto por las decisiones de la otra parte son los comportamientos más valorados.

— Cuando se está en una situación de superioridad es muy positivo mostrar empatía hacia la otra parte. Mostrar interés por sus necesidades es una actitud muy valorada.

— La cultura de negocios chilena no es tan burocrática como otras de América Latina; los funcionarios y directivos de alto nivel actúan de manera rápida y eficiente.

— La ética forma parte del mundo de los negocios. La honestidad y la integridad son valores apreciados. Es un error pensar que el uso de prácticas corruptas facilita los negocios.

CHINA

— China está en el camino de convertirse en una gran potencia económica mundial —se estima que para el año 2025 su PIB alcanzará al de Estados Unidos—, si bien su nivel de renta, infraestructuras y tecnología dista mucho de los países más avanzados.

— Los chinos tienen fama de ser unos de los mejores negociadores del mundo. Su potencial de compra y el espectacular crecimiento económico del país les respaldan.

— Acceder directamente a las compañías chinas y salvar las trabas administrativas es una tarea inabordable si no se cuenta con ayuda local. Hay que contratar a un agente o buscar un socio con las debidas conexiones *(quanxi)*, especialmente en el poderoso Ministerio de Comercio Exterior y Cooperación Económica (MOFTEC).

— Las negociaciones se realizan siempre en grupo. Por tanto, no se debe acudir solo a China, sino con un equipo negociador (al menos, dos personas). El directivo de mayor rango es el que lleva el peso de la negociación. Las personas de menor rango no deben interrumpir la conversación.

— No se debe hablar en primera persona, ya que resultaría petulante. Tampoco se deben mostrar demasiadas emociones ni sentimientos de frustración. Una actitud de prisa no es bien valorada.

— No debe esperarse una actitud de *fair play*. Los comentarios agradables y la apariencia de amistad se utilizan para obtener concesiones.

— Los chinos son muy desconfiados. Pedirán mucha información a la otra parte. Pero también el negociador extranjero debe desconfiar del uso que se haga de esa información. No se debe suministrar nada que se considere confidencial, ya que pronto o tarde será usado por alguna empresa china competidora.

— La dificultad del idioma se usa como una táctica negociadora. Incluso se echa la culpa al intérprete de posibles malentendidos. Debe conseguirse un intérprete profesional y de confianza. Para facilitar su tarea hay que utilizar frases cortas, evitar tecnicismos o expresiones coloquiales y darle descanso cada cierto tiempo.

— Los chinos usan mucho los silencios. Lo que no se dice puede ser más importante que lo expresado directamente.

— Las presentaciones deben basarse en argumentos técnicos, hechos y cifras. Hay que recalcar la idea de cooperación y el deseo de establecer relaciones duraderas. Si la audiencia es numerosa, la presentación debe ser breve.

— Los chinos son muy orgullosos. No se deben hacer comentarios o utilizar argumentos que les dejen en mal lugar delante del grupo. Hay que dejar siempre una salida para que rectifiquen si se han equivocado.

— El margen de negociación es muy amplio. Debe partirse de posiciones alejadas a las de cierre, ya que el negociador chino se siente ofendido si no consigue muchas concesiones. En cada tema tratado se tiene que conceder algo.

— En las negociaciones del precio los argumentos más utilizados son el tamaño de su mercado y las ofertas de otras empresas competidoras. De hecho, lo más habitual es que estén negociando con varias de ellas.

— Los chinos nunca olvidan un detalle. De ahí que en las reuniones iniciales no se deba sugerir alguna concesión, ya que la exigirán cuando llegue el momento.

— Tampoco debe darse nada por supuesto, ni sobreentendido. Las conclusiones y los pactos a los que se haya llegado en cada reunión deben ponerse por escrito en los llamados MOMU *(Memorandum of Understandings)*.

— Las negociaciones son muy largas —pueden durar años— debido al número de personas implicadas y a la complejidad de la Administración china. La paciencia y la constancia son virtudes imprescindibles para tener éxito en China. La expresión «el que resiste gana» cobra aquí todo su valor.

— No obstante, hay que recordar que, si bien los interlocutores no tienen capacidad para decidir, sí pueden retrasar, dificultar o, incluso, vetar el negocio.

— Cuando se acerca el acuerdo final, el equipo negociador chino pedirá una última concesión. No es raro que utilice la táctica del «agravio», por la cual sugiere que la otra parte rompe la amistad si no accede a esa petición.

— Al realizar el contrato es importante asegurarse de que el texto en chino se transcribe íntegramente al idioma extranjero utilizado.

— Los chinos consideran el contrato como un inicio de la relación y no dejarán de renegociar y pedir mejoras en cada negocio que se realice, aunque sea con la misma empresa, la misma persona, el mismo producto e idéntica cantidad.

— Los contratos no tienen la misma fuerza que en Occidente. Por ello el negociador extranjero debe establecer otros mecanismos que eviten los riesgos: el inversor deberá estudiar los procedimientos para repatriar beneficios, el vendedor los medios de pago para asegurar el cobro y el comprador los sistemas que garanticen la calidad y conformidad de los productos adquiridos.

— Suelen exigir que a la firma del contrato asista un representante de los servicios diplomáticos del país de la empresa extranjera.

COREA DEL SUR

— A pesar del paisaje occidental de la capital, Seúl, no debe olvidarse que es un país asiático con un idioma, una historia y una cultura propios. En este sentido, no se le debe asimilar tampoco a los dos gigantes de la zona, China y Japón.

— La mayoría de los negocios en Corea se realizan con los *Chaebol*, grandes conglomerados industriales y financieros presentes en muchos sectores. Los más importantes son: Samsung, Daewoo, LG, Hyundai, Sungyong y Sangyong. La crisis económica de los noventa obligó a reformar estos grupos, limitando sus campos de actividad y haciendo más trasparentes sus finanzas.

— Seúl es la clave de acceso al mercado coreano. Concentra las principales empresas, importadores, agentes y ferias comerciales. No será necesario desplazarse por el país.

— Para acceder al mercado coreano, la figura del agente es esencial. Se trata de profesionales especializados sectorialmente que gestionan el 80% de las importaciones coreanas.

— Antes de sentarse a negociar, conviene averiguar quién va a representar a la otra parte, para incluir en el equipo negociador a personas del mismo rango. El estatus es muy importante.

— La característica esencial de los coreanos es la modestia. No es positivo adoptar una posición de superioridad ni enfatizar los logros de la propia empresa. Tampoco se deben hacer demasiados cumplidos. Les resulta embarazoso.

— Los negociadores coreanos son muy emotivos. Tienen reacciones intensas de alegría, enfado o frustración. En esas ocasiones debe mantenerse la calma y no tomar en consideración todo lo que dicen.

— Hay que estar pendiente de que siguen bien los argumentos, aunque no se les debe preguntar directamente, ya que les podría molestar. El silencio es mala señal. Ocasionalmente, hay que dirigirse al jefe del equipo negociador, aunque no hable inglés.

— Para evitar pérdidas de comunicación es aconsejable utilizar intérpretes. Cuando se exponen los principales argumentos debe mirarse a los negociadores coreanos, no al intérprete.

— Las negociaciones tienden a ser repetitivas. Los coreanos hacen las mismas preguntas varias veces, como una forma de asegurarse de que las decisiones que toman son las correctas.

— Las ofertas iniciales deben estar bastante alejadas de lo que se espera conseguir al final, para que las dos partes mejoren su posición sustancialmente en el transcurso de la negociación.

— El consumidor coreano es muy marquista, por lo que una marca consolidada es sinónimo de calidad. En productos industriales la referencia a ventas realizadas en países del entorno —Japón y China— serán apreciadas.

— Las decisiones son lentas, pero una vez que se ha llegado al acuerdo se pone en marcha en seguida. Se vuelven muy impacientes con los plazos de entrega. Todo hay que hacerlo muy rápido *(pali-pali)*.

— Los contratos escritos no tienen la misma importancia que en la cultura occidental: están sujetos a cambios y a renegociación.

EGIPTO

— Egipto es el país árabe con mayor influencia de la cultura occidental. Ellos mismos se consideran un puente entre ambas culturas.

— El país tiene una tradición milenaria en el comercio internacional, reforzada por la apertura del Canal de Suez en el siglo XIX. Existen seis zonas francas, libres de derechos aduaneros y de la mayoría de los impuestos indirectos, tres de ellas en la zona del Canal.

— La herencia del Imperio británico pervive en su sistema burocrático, lo cual provoca retrasos, inspecciones, sellado de diferentes documentos, etc. Hay normativas distintas según se negocie con instituciones del gobierno, empresas públicas, empresas privadas o compañías situadas en las zonas francas.

— Para los primeros contactos es aconsejable contratar los servicios de un agente. Si se va a trabajar en El Cairo y en Alejandría conviene buscar un agente para cada zona. Una vez que se ha contactado con el cliente o el socio, las negociaciones deben llevarse directamente.

— La estrategia egipcia en los negocios internacionales es reactiva. Incluso las empresas exportadoras esperan a que los compradores se dirijan a ellas.

— Es esencial transmitir confianza. No se entra a negociar hasta que no se ha desarrollado una cierta relación entre las empresas. Contactar con las personas adecuadas es clave para ahorrar tiempo y esfuerzo.

— La puntualidad no es una virtud de los negociadores egipcios; es costumbre hacer esperar a los visitantes (incluso a los extranjeros); también hay que tener en cuenta que el tráfico de El Cairo dificulta ser puntual. Por todo ello, cuando se negocia en la capital no se debe fijar más de un cita por día.

— Durante las entrevistas son muy corrientes las interrupciones por visitas inesperadas, llamadas telefónicas, etc. No se debe mostrar enojo por este comportamiento, ya que es su manera de trabajar.

— A los egipcios les gusta el lenguaje. Utilizan mucho la retórica, la exageración y los argumentos emocionales. Hay que estar preparado para escuchar mucho.

— El regateo forma parte de la negociación. Ellos lo practican a diario en los mercados al aire libre *(souks)*. El negociador extranjero que regatea duro, aunque amablemente, es muy respetado. De hecho, no regatear se considera un insulto.

— Un «sí» no quiere decir que un asunto esté cerrado, sino que «posiblemente» puede llevarse a cabo, lo cual debe servir como acicate para seguir negociando, más que como frustración si la decisión final tarda.

— El ritmo de negociación es lento. Las decisiones tienen que ser consensuadas con el grupo. Establecer fechas límite o utilizar técnicas de presión es contraproducente.

— Los contratos se consideran más como una orientación que sirve de guía en las relaciones comerciales que como unos pactos que hay que cumplir estrictamente. Es habitual que el contenido se revise, renegocie o se modifique varias veces.

— Realizar negocios en Egipto exige estar muy en contacto con los clientes y socios para vencer su actitud reactiva y fortalecer la relación comercial.

ESPAÑA

— El eje del desarrollo español no es el tradicional norte-sur, sino más bien el este-oeste. Es la parte oriental del país (Cataluña, Aragón, Valencia, Murcia) la que tiene mejores perspectivas de crecimiento.

— Los dos centros de negocios más importantes son, con diferencia, Madrid y Barcelona. Madrid es la capital financiera, sede de las grandes empresas del sector de la construcción, energía y servicios en general —aglutina más del 50% de la inversión extranjera que recibe España—. Barcelona es el centro del sector industrial (automóvil, químico, farmacéutico, maquinaria, etc.) y de las nuevas tecnologías.

— Además de estos dos centros de negocios, existe una fuerte especialización sectorial por regiones (mueble y calzado en Valencia, máquina herramienta en el País Vasco, alimentación en Andalucía, vino en Castilla-La Mancha y La Rioja, etc.), lo que obliga a las empresas a competir directamente entre sí. Esta concentración geográfica facilita la estrategia comercial de las empresas extranjeras que visitan el país.

— El sentido del honor y el orgullo son los rasgos más típicos del carácter español. Hay que tener cuidado para no herir sensibilidades. También hay que tener presente que una vez que los españoles han adoptado una posición, es difícil que se vuelvan atrás precisamente por una actitud orgullosa —se dice «dar el brazo a torcer», lo que da una idea de lo que cuesta cambiar de opinión.

— Con respecto al extranjero, los españoles tiene una doble actitud. Por una parte muestran gran admiración por los productos extranjeros y valoran poco el *made in Spain*; sin embargo, consideran que España es el mejor país del mundo, en el sentido de que no hay ningún país en el que se disfrute más de la vida.

— En España, las relaciones personales son esenciales para hacer negocios. Es aconsejable ser presentado o introducido por alguien conocido, especialmente si se van a realizar negocios de cierta envergadura. Una vez que se ha conseguido establecer contacto, hay que dedicar tiempo para desarrollar una relación personal: es mejor realizar visitas personales o hablar por teléfono que el correo o el *e-mail*.

— Las citas deben establecerse con al menos diez días de antelación y reconfirmarlas uno o dos días antes. Hay que procurar entrevistarse con las personas de mayor rango en la empresa. Para llegar a ellas es crucial la figura de las secretarias de dirección que controlan las agendas de los directivos.

— La puntualidad no es una virtud en el país, pero tampoco se incurre en demasiados retrasos. Lo normal es que las reuniones comiencen diez o quince minutos más tarde de la hora prevista —se dice que lo único que empieza a su hora exacta en España son las corridas de toros y los entierros.

— Al principio de la reunión se mantiene una charla informal sobre el viaje, el tiempo climatológico, las costumbres del país, etc., que da paso a la conversación de negocios. La primera entrevista se dedica a que ambas partes se conozcan y a explorar las posibilidades de hacer negocios. En el primer contacto no se suele entrar a negociar las condiciones de la operación.

— Sea por desconfianza o por un carácter reservado, a los españoles no les gusta dar información sobre su empresa, el sector en que trabajan o los competidores. Es mejor no hacer preguntas directas sobre estos temas, ya que aumentaría su recelo.

— El ambiente de la negociación es formal, pero distendido. El español mantiene una actitud seria cuando se negocian los aspectos clave, pero se comporta de una manera muy cordial y alegre en el transcurso de la conversación. Es muy corriente utilizar el sentido del humor y contar chistes, incluso, a personas que apenas se conoce.

— La argumentación es una parte esencial del proceso negociador. Si bien, al principio, los españoles pueden adoptar una posición pasiva, no es raro que se vayan motivando a lo largo de la conversación y terminen acaparando la palabra. Llegado este momento se les debe interrumpir, ya que de lo contrario se reforzaría su posición —en España tiende a pensarse que el que más habla defiende mejor sus argumentos.

— Es muy habitual que los españoles den consejos o corrijan las opiniones de la otra parte. No hay que mostrarse ofendido por ello y menos entrar en una confrontación dialéctica.

— Debe dejarse margen para hacer concesiones, si bien la práctica del regateo no está bien vista en una negociación comercial. Es habitual hacer dos tres concesiones, tan amplias como sea necesario, pero si se regatea en exceso se puede poner en peligro el éxito de la negociación.

— El proceso de decisiones es lento y está muy jerarquizado. La mayoría de los temas —sobre todo si son propuestas de nuevos proveedores o socios— se toman al máximo nivel de la empresa. Aunque se delegue la negociación, el director gerente deberá estar informado y dar su aprobación.

— Para acelerar la negociación no conviene utilizar tácticas de presión, aunque sí es positivo estar en contacto y preguntar cada cierto tiempo como está el tema. Con ello se muestra interés y se evita que el asunto quede paralizado.

— A los españoles no les gusta decir «no» directamente. Alargan la respuesta en la confianza de que la otra empresa desista, o incluso se muestran inaccesibles —no se ponen al teléfono, no contestan *e-mails*—. Llegado este punto es mejor abandonar, aunque las perspectivas para cerrar el negocio parezcan muy favorables.

— Al finalizar una entrevista personal, se utiliza mucho la expresión «lo estudiaremos», que tiene un significado ambiguo; generalmente, se quiere transmitir que no interesa demasiado, por lo menos a corto plazo.

— No existe una gran tradición en cuanto a plasmar negocios en contratos muy detallados que se deban cumplir a rajatabla. No se tiene demasiada confianza en los tribunales de justicia para resolver conflictos. En caso de incumplimiento, se prefiere llegar a una solución amistosa extrajudicial.

ESTADOS UNIDOS

— Estados Unidos es el país etnocéntrico por antonomasia: se consideran el centro del mundo; su conocimiento de otros países y culturas es limitado. Ello, unido a su poder económico, obliga a que sea el negociador extranjero el que haga el esfuerzo de adaptarse a su forma de negociar.

— Dentro del país existe una gran diversidad *(melting pot)* de culturas, razas, etnias, que pueden aparecer en las relaciones comerciales. Pero, por encima de tales diferencias, existe un fuerte sentimiento patriótico.

— Puede pensarse que los negociadores norteamericanos son prepotentes, poco sofisticados e incluso ingenuos en sus planteamientos. Su estilo de negociación quizá no guste, pero no por ello debe subestimarse. Por algo son los números uno.

— Las empresas norteamericanas son bastantes accesibles. Incluso el contacto en frío puede funcionar. Antes de concertar la entrevista es habitual proporcionar catálogos e información sobre la empresa. En sectores muy competitivos, se pueden llegar a pedir ofertas previamente para ver si interesa el precio y no perder el tiempo en una entrevista personal.

— La profesionalidad es la característica más valorada. Debe acudirse con un buen material promocional, hacer una presentación eficaz y utilizar un equipo comercial de primer nivel. No hay que olvidar que los puestos de ventas son los que tienen más prestigio en las empresas estadounidenses. A los vendedores no se les valora por su formación o experiencia profesional, sino por los resultados conseguidos en los últimos meses.

— El lenguaje debe ser directo y claro —*tell it like it is* («dilo como es») es una expresión muy utilizada—. Las respuestas indirectas o poco claras pueden interpretarse como desconfianza o falta de sinceridad.

— Se sienten cómodos en una situación de confrontación y les gusta utilizar técnicas intimidatorias del tipo *take it o leave it* («lo tomas o lo dejas»). Una expresión que refleja esta actitud es *If you can not take the heat, stay out of the kitchen* («Si no soportas el calor, quédate fuera de la cocina»).

— Su estrategia militar de ganar la guerra aun a costa de perder algunas batallas también se refleja en los negocios. Pueden cambiar de táctica en un *break* de diez minutos. Hay que estar preparado para responder rápidamente.

— La negociaciones se centran en el concepto de rentabilidad: una propuesta es buena si genera beneficios para la empresa *(bottom line)* y, mejor todavía, si éstos se consiguen a corto plazo.

— La posición de salida no es muy lejana a la que se espera conseguir. Las pocas concesiones que se realizan tienen lugar, más bien, al final de la negociación. El hábito de regatear el precio no está muy extendido.

— El ritmo de la negociación es muy rápido en comparación con otras culturas —el tiempo se valora mucho *(time is money)*—. Incluso hay ventas que se cierran en la primera entrevista. En negociaciones más largas pueden ceder en algún punto con tal de llegar a un acuerdo y pasar a otro asunto.

— Los negociadores suelen tener un elevado nivel de autoridad para la toma de decisiones y esperan que la otra parte esté a la misma altura. En caso contrario se sienten disgustados.

— Las decisiones de primer nivel las toma el director general, conocido como CEO *(Chief Economic Officer,* pronunciado *Si-ou),* con el acuerdo del *Board of Directors* (consejo de administración).

— Los acuerdos se plasman en contratos muy detallados. En Estados Unidos existe un ambiente muy legalista y de tendencia al litigio. Es muy habitual recurrir a los tribunales o amenazar con ello. Es aconsejable contratar los servicios de un bufete norteamericano, ya que un contrato redactado adecuadamente ofrece mayores garantías frente a las posibles amenazas legales.

— En ocasiones, es mejor no negociar a través de un borrador de contrato sino con un resumen de aspectos esenciales del contrato que no obliguen a las partes *(Summary of Terms* o SOT), preparado bajo la supervisión de un abogado norteamericano.

FRANCIA

— Francia es un país centralizado: la vida política, económica y cultural se dirige desde París.

— Se atribuye al carácter francés una cierta soberbia y actitud de superioridad *(la grandeur)*. No es bueno demostrar más conocimientos que ellos ni tratar de sorprenderles con ideas originales. No les gustaría.

— El idioma es el principal elemento de identidad cultural —no hay que olvidar que el francés fue durante muchos años el idioma de la diplomacia—. Sólo se debe hablar si se tiene un cierto dominio de él. En caso contrario es mejor recurrir al inglés o al español.

— Las relaciones profesionales priman sobre las personales. Existe una clara identidad de las clases sociales. En la relación personal se valora mucho el nivel de educación, la pertenencia a las grandes escuelas (Escuelas de Ingenieros, la ENA: École Nationale d'Administration, a cuyos miembros se les denomina *enarques*, etc.).

— No es fácil ser recibido en Francia. Hay que suscitar el interés del interlocutor con una documentación detallada (preferentemente en francés) sobre la empresa y los productos y una exposición clara sobre los objetivos de la entrevista.

— La forma de negociar es lenta. Una estrategia muy utilizada por los negociadores franceses es tratar de que la otra parte sea el demandante, el que inicie los temas; con ello se debilita su posición.

— El ambiente es formal y reservado. No deben hacerse preguntas personales ni tratarse asuntos considerados confidenciales (cifra de negocios, salarios, competidores, etc.).

— Los argumentos tienden a ser analíticos, apoyados en la lógica, pero también en un lenguaje retórico no exento de ingenio. Les gustan mucho las discusiones verbales. Priman más las palabras y las imágenes que los datos y los hechos.

— Se negocia punto por punto, cada parte exponiendo sus razones. Es conveniente evitar el enfrentamiento: les gusta el debate, pero no deben crearse situaciones de tensión, ya que pueden interpretarlas como ataques personales.

— A veces, cuando un argumento de la otra parte les satisface, lo presentan como propio en la siguiente reunión. No conviene mencionárselo; heriría su sensibilidad.

— El precio es lo último que se negocia. No se sienten cómodos hablando de dinero. La técnica del regateo no está bien vista.

— En las empresas las decisiones están muy jerarquizadas, lo que permite que la decisión final sea rápida. Para temas importantes hay que negociar directamente con el máximo ejecutivo, conocido como PDG *(Président Directeur Général).*

— Al francés le cuesta mucho decir «no» directamente. En su lugar utiliza propuestas verbales sin contenido real con las que trata de evitar una negación expresa. Al negociador extranjero esta actitud puede parecerle una falta de poder para tomar la decisión o una estrategia para conseguir más concesiones, cuando en realidad es un rechazo de lo que se propone. Identificar estas situaciones ahorra tiempo y esfuerzo.

— En los contratos y en la correspondencia comercial hay que tener en cuenta que son muy nacionalistas con el idioma y no han adoptado la terminología anglosajona de negocios común en casi todos los países. Por ejemplo, software se dice *logiciel*, marketing es *mercatique* y para royalty se utiliza la palabra *redevance*.

HUNGRÍA

— En 1989 Hungría pasó a llamarse República de Hungría, eliminando en su nombre las palabras socialista y popular. Desde entonces se ha producido un acercamiento a la cultura capitalista que le sitúa en la mejor posición —conjuntamente con la República Checa— para sacar partido de su integración en la UE.

— A pesar de su occidentalización, todavía persisten prácticas de la época socialista que ralentizan la forma de hacer negocios. Como norma general se tarda un año en establecer contactos sólidos, otro año en cerrar contratos y un tercero en empezar a hacer operaciones.

— Argumentos de venta muy apreciados son la capacidad para introducir productos novedosos en relación a la oferta local y la habilidad para mejorar los sistemas de gestión empresarial.

— Debido a su elevada apertura al exterior, es conveniente que en la presentación de la empresa se haga hincapié en las experiencias internacionales que se tengan.

— Los canales de distribución están en un proceso de transformación. Las pequeñas y medianas empresas están perdiendo posiciones frente a las multinacionales extranjeras, que están transformando los hábitos de consumo de los húngaros mediante la gran distribución.

— El país que tiene más presencia en Hungría es, con diferencia, Alemania. Si se trabaja con Alemania, conviene resaltarlo, ya que se considera una prueba de garantía y calidad.

— El mercado húngaro busca compensar su excesiva dependencia de Alemania —tanto como proveedor como cliente—. Está muy abierto a negocios con otros países de la UE como Francia, Italia o España.

— La forma más usual de acceder a las empresas húngaras es a través de un agente o representante local. Se debe ser muy cuidadoso en la elección del agente, ya que a las empresas húngaras no les gusta que se cambie.

— La venta en Hungría tiene un cierto componente técnico, debido a su elevada cultura científica. Les gusta entrar en detalles, comparar datos y cifras, analizar distintas alternativas. En el equipo negociador debe incluirse una persona con perfil técnico.

— La forma de negociar es más bien directa, más cercana a la cultura anglosajona que a la latina. Las reuniones no son muy largas. Se entra directamente en materia. Se ponen las cartas sobre la mesa, sin reservarse informaciones esenciales.

— No existe cultura de regateo. Si se modifican mucho los precios, pueden pensar que la empresa no es seria o solvente. Las ofertas iniciales deben aproximarse a las cifras en las que se desea cerrar el negocio.

— Cuando la negociación está avanzada, una práctica muy apreciada es invitar a los ejecutivos de la empresa húngara a visitar las instalaciones en el país extranjero.

— Los contratos se redactan con mucho detalle. En la cláusula de jurisdicción aplicable los húngaros, generalmente, sólo aceptan someterse a la jurisdicción de su país o al Tribunal de Arbitraje de la Cámara de Comercio de Hungría.

INDIA

— India es un mercado de oportunidades en el que está casi todo por hacer. El empresario indio suele tener actividades muy diversas, y ser flexible y abierto a nuevos negocios. Es difícil identificar las oportunidades en este gran mercado si no se visita regularmente el país.

— El país está muy protegido comercialmente, aunque el grado de protección es diferente en cada sector y, en general, está disminuyendo.

— Para hacer negocios en India es casi imprescindible contar con un colaborador o socio local. Cuando se trata de vender productos industriales, es aconsejable contratar un ingeniero local que actúe como delegado en exclusiva de la empresa. Para productos de consumo la figura del agente comercial está muy reconocida. Sin su ayuda, difícilmente podrá penetrarse en el complejo entramado empresarial del país.

— En las alianzas con un socio local, lo más habitual es crear una *joint-venture* a la que se cede la tecnología de la empresa extranjera. Es preferible constituir una sociedad nueva que adquirir parte de una empresa existente, ya que podrían generarse conflictos.

— Las ofertas que se presenten debe ser competitivas. Cada vez se valora más la relación calidad-precio. La asistencia técnica que se pueda prestar y la formación que se ofrezca a los empleados de la empresa son factores críticos en la toma de decisiones.

— En la negociación sobre precios tienden a mostrarse duros, recurriendo ocasionalmente al regateo. Es mejor mostrarse firme y no ceder en exceso, ya que de esta forma se generará una reacción de respeto en la otra parte. Una alternativa a la petición de precios más bajos es ofrecer facilidades de financiación.

— Las negociaciones deben establecerse al más alto nivel. La cultura empresarial está muy jerarquizada. Los mandos intermedios no toman decisiones, aunque canalizan las propuestas y orientan sobre su interés.

— El proceso de negociación es lento. Hay que ir dando la información de forma gradual. Tendrán que transcurrir varias reuniones hasta que se entre en la negociación de los aspectos más importantes.

— El ambiente de las reuniones es formal. El comportamiento debe ser reservado y de control. Los argumentos o actitudes emocionales no son bien vistos.

— La armonía entre las partes es esencial para el éxito de la negociación. Utilizar tácticas agresivas, de confrontación o presionar para la toma de decisiones es contraproducente.

— Los negociadores indios nunca dicen «no» directamente, ya que se considera de mala educación. En su lugar, utilizan evasivas, recurren a la expresión «lo intentaremos» o tratan de prolongar las negociaciones. En último caso encomiendan a un subordinado la tarea de finalizar los contactos con los negociadores extranjeros.

— No se debe ser excesivamente «legalista» en la formalización de los acuerdos. En cualquier caso existe la creencia de que los negocios serán diferentes a como se había planeado.

— Los contratos deben redactarse en el idioma local y en inglés. Para ello habrá que contratar traductores y asesores jurídicos.

— En la India existen grandes diferencias culturales y regionales. No debe asumirse que estrategias que tuvieron éxito en una ciudad funcionarán necesariamente en otra.

INDONESIA

— En el mundo de los negocios indonesio conviven dos culturas: la malaya, que domina la administración y las empresas públicas, y la china, que está muy presente en el sector privado. La malaya es más flexible con el tiempo. La china es mucho más ágil y orientada a los negocios.

— La idea de estatus profesional y social está muy arraigada. Las negociaciones deben realizarse entre personas de la misma categoría profesional. Por ello no es de extrañar que los indonesios hagan preguntas directas para comprobar el rango de la persona con la que negocian.

— Los altos ejecutivos y directivos de las empresas indonesias tienden a ser más accesibles que en otros países asiáticos. Es habitual que estén presentes en la primera reunión con directivos de empresas extranjeras.

— La puntualidad es un privilegio de las personas de mayor rango. El concepto del tiempo es muy flexible, tal y como expresa el término local *jam karet* («tiempo de goma»). Sólo en las grandes empresas debe solicitarse una entrevista con varios días de antelación.

— Para llegar a las personas adecuadas, favorecer la toma de decisiones y conseguir que los negocios se cierren, habrá que desembolsar cantidades extra que pueden presupuestarse y justificarse como «honorarios de consultoría».

— Las relaciones personales son previas a las relaciones de negocios. En consecuencia, hacer negocios lleva tiempo. El primer encuentro será sólo para conocerse.

— Los principios de educación y armonía presiden las negociaciones. No hay que ser agresivo ni provocar situaciones de conflicto. Conviene utilizar los tiempos de silencio y respetarlos a su vez. Hay que recordar que el silencio no tiene un significado de rechazo, como en la cultura occidental. Tampoco significa aceptación.

— Los indonesios rara vez dicen «no» directamente. Cuando hablan en indonesio tienen, al menos, doce expresiones negativas y muchas del tipo de «digo sí, pero en realidad quiero decir no». Cuando hablan inglés, expresiones como *Yes, but...*; *it might be difficult*; o *in fact...*, quieren decir «no». Un gesto que indica problemas es cuando absorben aire entre los dientes.

— Una forma de hablar característica de los indonesios es reforzar la pregunta con una opción positiva o negativa. Por ejemplo, *The order can arrive in one month or cannot?* (el pedido puede llegar en un mes o ¿no?). Puede parecer agresivo para un occidental, pero no lo es para ellos.

— La cultura del regateo está muy extendida. El indonesio regatea por todo en su vida cotidiana. Conviene empezar con ofertas altas e ir bajando paulatinamente. Debe evitarse hacer concesiones rápidamente, lo cual sería interpretado como una ingenuidad.

— Algunos funcionarios y empresarios recurren a una forma de espiritualidad llamada *kebatinan* que supone la búsqueda de armonía y un punto de referencia para tomar decisiones.

— Aunque a la firma del contrato se le concede mucha importancia, lo consideran más como unos principios generales que establecen el marco de las relaciones que como un conjunto de derechos y obligaciones. Los términos del contrato serán revisados y negociados continuamente.

ISRAEL

— Israel es un país de contrastes en el que conviven los judíos israelíes con los árabes palestinos. Cada uno de esos dos pueblos está compuesto de etnias, grupos y clases diferentes. Es importante conocer el tipo de religión de los interlocutores, ya que determina su forma de actuar.

— El mundo de los negocios está dominado por los judíos israelíes, entre los que se pueden distinguir los judíos «seculares» —aquellos que no observan los ritos de la religión judía—, los judíos tradicionalistas y los judíos ortodoxos. A los tradicionalistas se les reconoce por el gorro sobre la coronilla, conocido como *yarmulque*; los judíos ortodoxos llevan sombrero y traje negro. La mayor parte de los negocios se realizarán con judíos «seculares», que representan aproximadamente el 50% de la población.

— Comercialmente el país puede dividirse en cuatro zonas: Tel Aviv, Jerusalén, la zona norte (Haifa) y la zona sur (Beer Sheva).

— La labor de los agentes comerciales es útil, ya que facilita al proveedor extranjero el contacto con fabricantes y distribuidores locales. No obstante, hay mayoristas y distribuidores que importan directamente. Generalmente estas empresas cubren todo el territorio.

— El idioma de los negocios es el inglés. Si no se conoce bien este idioma es mejor contratar un intérprete. La otra parte lo agradecerá.

— Los israelíes tienen un sentido de los negocios muy próximo a los valores capitalistas, aprendido en sectores como la banca o la joyería, en los que la idea de beneficio, productividad o rentabilidad está muy presente.

— En la negociación debe primar la eficacia. Las reuniones no son largas. Se va directamente a los temas esenciales.

— La mayoría de los israelíes utilizan un sistema de confrontación con argumentos contundentes a la par que emocionales. Se les debe responder en el mismo tono. No hay que ceder porque tengan un comportamiento agresivo o generen tensión.

— Los negociadores israelíes suelen adoptar una postura proactiva, tratando de adelantarse a los movimientos de la otra parte. Es mejor dar la información poco a poco; de esta forma estarán preocupados por averiguar la posición de la otra parte y se centrarán menos en sus objetivos.

— La negociación sobre el precio —el aspecto más importante para ellos— debe dejarse para el final. El regateo será duro. Conviene partir con un amplio margen e ir haciendo concesiones poco a poco, combinando mejoras en el precio con otros argumentos (condiciones de pago, descuentos por volumen de compra, etc.).

— Les gusta mucho discutir y rara vez admiten una opinión contraria, aunque tampoco esperan que la otra parte comparta sus opiniones.

— En las discusiones es normal interrumpir al interlocutor. Si bien en la mayoría de las culturas se considera una falta de educación, para ellos es un signo de interés.

— La orientación es a corto plazo, quizá debido a la enorme incertidumbre política en la que viven. Tratan de buscar el beneficio rápido y operación por operación. Las perspectivas de negocios a medio plazo, fruto de la cooperación entre empresas, no constituyen un buen argumento para acceder al mercado israelí.

— Es obligado realizar ofertas competitivas, ya que el empresario israelí suele conocer muy bien la oferta internacional de su sector.

— A pesar de su hospitalidad, las relaciones personales que se puedan establecer no influirán en las relaciones profesionales. En el trato personal no se deben realizar halagos, ya que por su carácter desconfiado les podrían resultar sospechosos.

— Aunque el país tiene sus raíces en movimientos cooperativistas, la cultura de la competitividad que impera favorece las decisiones individuales. Las organizaciones no son jerárquicas. Cada gerente es responsable de las decisiones en su área de competencia.

— Las relaciones comerciales se basan en la mutua confianza, si bien todos los acuerdos deben formalizarse por escrito. Por lo general, los agentes y distribuidores exigen exclusividad, ya que el mercado es pequeño y la información fluye rápidamente entre los clientes potenciales.

ITALIA

— Italia es un país altamente regionalizado: cada región tiene su historia, cultura, dialecto, gustos y forma de hacer negocios. Hay que adaptarse a las particularidades de cada zona y no hacer comentarios o comparaciones entre ellas.

— La industria italiana se encuentra fuertemente concentrada en el norte y el centro del país, en tres regiones: Lombardía (Milán), Piamonte (Turín) y Roma. Existe un fuerte desequilibrio entre estas zonas y la zona sur, desde Nápoles hasta Sicilia, conocida como Mezzogiorno.

— Las conexiones personales y las referencias son muy importantes. Los italianos prefieren hacer negocios con quien ya conocen o con empresas que son introducidas por personas de confianza (el llamado *clientelismo*).

— Los italianos valoran mucho el diseño y la calidad de los productos. Una estrategia de negociación basada en el precio no será bien vista.

— La puntualidad es obligada en el norte del país (especialmente en Milán). En el centro y en el sur el uso del tiempo es más relajado. Conviene confirmar las citas concertadas previamente.

— Las negociaciones se desarrollan en un ambiente de familiaridad y cordialidad. Los italianos no se sienten cómodos en situaciones de tensión o de excesiva formalidad.

— En su argumentación son muy expresivos. Elevan mucho la voz y se apoyan en una gran variedad de gestos. No deben interpretarse como signos de enfado, sino como reflejo de un carácter apasionado.

— El material para las presentaciones (*dossier* de promoción, catálogos, etc.) debe ser estéticamente impecable. En la cultura italiana la apariencia es más importante que el contenido.

— Valoran mucho sus propios productos y es difícil que cambien sus hábitos de compra. Por ello no deben establecerse comparaciones con los productos italianos, sino más bien utilizar argumentos de complementariedad o innovación respecto a la oferta local.

— En ocasiones realizan demandas inesperadas, con las que tratan de desconcertar a la otra parte. Puede parecer que si no se cede, la negociación fracasará; todo lo contrario, hay que mantenerse firme, ya que es un signo de que el acuerdo está cerca.

— Las negociaciones pueden ser largas. Cuanto más importante es el negocio, más análisis se requiere y más tiempo se demora la decisión. Hay que ser paciente. La prisa o las tácticas de presión para provocar decisiones son interpretadas como signo de debilidad.

— Los italianos suelen decidir en base a las experiencias que han tenido en situaciones similares. En consecuencia, si una idea o negocio no se corresponde con una experiencia positiva a la que se puede relacionar de alguna forma, tienden a rechazarla.

— La estructura de las organizaciones es horizontal —se denomina *cordata*—. Las decisiones se toman de forma consensuada entre los miembros del equipo directivo. No obstante, es importante conocer qué imagen e influencia tiene en la organización la persona con la que se está negociando.

— Las formas contractuales en Italia son libres. No es necesario que los contratos sean revisados por un abogado, aunque en ocasiones se recurre a los servicios de los notarios.

JAPÓN

— El comprador japonés es muy nacionalista, y, por otra parte, en Japón se encuentran todos los productos y marcas de prestigio mundial. Para tener éxito es necesario ofrecer un producto con algún valor añadido, preferentemente algo novedoso y que esté adaptado a los gustos locales.

— La toma de contacto en frío no da resultado. Para llegar a las empresas japonesas hay que utilizar los servicios de un intermediario bien conectado *(chukaishu)* o de algún organismo oficial (servicios comerciales de la embajada, Cámara de Comercio, JETRO, etc.). Cuando se contratan los servicios de un intermediario, hay que tener cuidado con su elección, ya que no les gusta que se cambie.

— El uso del tiempo es absolutamente rígido. Las reuniones empiezan y terminan exactamente a la hora prevista. Aunque no se haya terminado de discutir un tema, la reunión finaliza igualmente. Por el contrario, si se llega a un acuerdo antes de lo previsto, se agota el resto del tiempo permaneciendo en silencio.

— Por parte japonesa irán varias personas a la reunión. Por tanto, es mejor que acudan por lo menos dos personas en representación de la empresa extranjera.

— El material escrito que se aporte (catálogos, ofertas, propuestas, etc.) debe tener una presencia impecable y estar traducido al japonés o, al menos, al inglés. Consideran que una empresa que no es capaz de preparar adecuadamente una presentación no será tampoco un buen proveedor. Deben llevarse varias copias para entregar a cada miembro del equipo negociador japonés. Con ello se agilizará el proceso de toma de decisiones.

— Las japoneses valoran mucho la información: en las presentaciones debe abundarse en detalles, cifras, datos técnicos, etc. Todos los datos numéricos que se ofrezcan deben estar bien calculados, ya que de lo contrario detectarán los errores.

— La charla informal previa a la conversación de negocios es mínima. No se deben hacer preguntas de tipo personal, ni aquellas cuya respuesta comprometa en algún sentido.

— El contacto visual es escaso, mientras que el uso de los silencios es muy común. Hay que ser pacientes y esperar a que hablen. Nunca se deben interrumpir sus argumentaciones.

— El tono de la conversación es muy serio, exento de humor. Apenas se gesticula. Debe evitarse un comportamiento extrovertido o emocional. No es aconsejable contar chistes.

— El nivel de inglés no es muy elevado para lo que podría esperarse en un país tan desarrollado. Pocos lo entienden y lo hablan con fluidez. Conviene ser paciente, hablar despacio, con pausas prolongadas, y evitar palabras poco usuales. Las cifras y los términos técnicos deben ponerse por escrito.

— Si se utiliza a un intérprete, hay que tener en cuenta que tardará más para traducir del idioma extranjero al japonés que del japonés al idioma extranjero. El japonés es un idioma complejo y sutil con frases largas y hasta cuatro niveles de cortesía, según la relación que se quiera mantener con el interlocutor.

— Las relaciones personales son muy importantes: primero se hacen amigos y luego se hacen negocios. Las reuniones sociales (en restaurantes y bares) después del trabajo son la ocasión para fomentar el conocimiento de la otra persona.

— El lenguaje es muy ambiguo. Un «sí» *(hai)* solamente quiere decir que se escucha y se comprende la propuesta, pero no indica aceptación. Se evita decir «no» *(iie)* directamente.

— Las preguntas deben ser concretas, pero abiertas, para evitar que contesten con monosílabos. Hay que darles tiempo para hablar, y respetar sus silencios. El silencio, lejos de ser algo negativo, indica reflexión.

— Si se les hace una pregunta con negación, una respuesta positiva por su parte significa que se está de acuerdo. Por ejemplo, si a la pregunta «¿Ustedes no utilizan el envase de cinco litros?», contestan afirmativamente, significa que no lo utilizan. Para evitar confusiones es mejor no realizar este tipo de preguntas.

— Las negociaciones se inician entre altos ejecutivos y continúan entre mandos intermedios. Hay que tener en cuenta que la persona que lleva el peso de la negociación no suele ser la encargada de cerrar los acuerdos. Con ello tratan de no establecer compromisos hasta que no tienen una visión total de la propuesta.

— En las discusiones se busca la armonía por encima de cualquier otra consideración. Una sonrisa indica más bien dificultades que una posición favorable.

— El proceso de toma de decisiones está muy jerarquizado y se realiza por consenso. Es lo que se denomina *ringi*. La propuesta debe ser discutida a fondo por todos los implicados en el proyecto, para crear un espíritu de grupo. El responsable máximo no se pronuncia hasta que los subordinados se han puesto de acuerdo. En cualquier caso, los directivos no asumen las consecuencias de sus decisiones; la responsabilidad es de la empresa en su conjunto.

— En la cultura japonesa la jerarquía está muy relacionada con la edad y la antigüedad en la empresa. Existen dos niveles de toma de decisiones: director general *(bucho)* y jefe de sección *(kacho)*.

— Debido a la importancia de la edad, hay que mostrar el mayor respeto y consideración a las personas de mayor edad del equipo negociador japonés.

— En la mayoría de las negociaciones hay una persona del equipo negociador que toma la iniciativa. Suele ser un mando intermedio, que conoce muy bien el mercado y a los competidores y que profundiza en las negociaciones de precios y cifras. Una vez identificado, es esencial establecer una buena relación con él.

— En la negociación se busca un acuerdo global, más que la aprobación de asuntos uno por uno. Esta manera de proceder contribuye a alargar el proceso de toma de decisiones.

— Los japoneses plantean los negocios con objetivos a largo plazo (cinco años o más), no como la búsqueda de oportunidades o rentabilidad inmediata.

— Los contratos se consideran más como una guía que regula las relaciones futuras que como un conjunto de obligaciones de las partes. Casi siempre tratan de incluir una cláusula *(jijo benko)* que permita la completa renegociación si las circunstancias cambian. Cuando surgen problemas se busca una solución pactada para evitar el litigio judicial.

— Una vez que se ha obtenido el acuerdo, la implementación suele ser muy rápida.

— El nivel de fidelidad al proveedor extranjero es muy alto. Cuando se consigue establecer relaciones, el vínculo entre las empresas se va estrechando en todo lo que se refiere a la comercialización y promoción del producto.

— Si se produce un problema en la relación comercial, especialmente en los primeros pedidos, deberá darse una solución rápida. La fiabilidad de los proveedores se mide por su capacidad para resolver problemas.

— El año contable y los presupuestos comienzan en el mes de abril. Los objetivos, nuevos precios, asignación de gastos, etc., se empiezan a aplicar en ese mes, independientemente de cuando se hayan establecido.

MARRUECOS

— Marruecos es un país complejo y lleno de contrastes, fruto de tradiciones milenarias que conviven con la modernidad creciente propiciada por las relaciones económicas con países de la UE, sobre todo como Francia y España.

— Es un mercado emergente con una elevada apertura al exterior (50% del PIB). La oferta europea e incluso la de Estados Unidos (su tercer socio comercial) son bien conocidas. Por tanto no se tendrá éxito con productos obsoletos o de baja calidad.

— Los canales de distribución están poco desarrollados. Apenas existen grandes superficies. Predominan las tiendas pequeñas de tipo familiar con un gran surtido de artículos. Por las dificultades que representa la distribución, las opciones más adecuadas son la venta a través de un importador-distribuidor o el establecimiento de una filial comercial.

— El acercamiento al mercado es lento. Habrá que visitar varias veces el país y establecer contactos personales. Se prefiere negociar los temas cara a cara. Las formas de negociación escrita (cartas, faxes, *e-mails*, contratos, etc.) se utilizan poco.

— La actitud más valorada es la naturalidad. Se deben evitar, sobre todo, la arrogancia y la sumisión. Al marroquí no le gusta trabajar con alguien que se sienta superior y que no sea capaz de apreciar sus valores. La sumisión será tomada como una actitud hipócrita y generará desconfianza.

— Existen grandes diferencias entre unas ciudades y otras. Casablanca es el centro de la actividad comercial y financiera, sede de las principales empresas nacionales y multinacionales; Rabat es la capital administrativa, donde se negocian los contratos públicos; Marrakech es la ciudad turística más importante; y Fez aglutina al sector de la artesanía.

— En las principales ciudades se habla indistintamente el francés y el árabe. En la zona norte (Tánger y Tetuán) también el español. Las negociaciones se desarrollan fundamentalmente en francés. Si se emplean algunas palabras en árabe, serán muy apreciadas.

— En las reuniones de trabajo no se entra directamente en materia. Se habla de la familia, el trabajo y otros temas antes de abordar los negocios.

— El peso de la negociación lo debe llevar el visitante, ya que, generalmente, los marroquíes muestran una actitud de «esperar y ver». Hay que resaltar varias veces las ventajas del producto o los beneficios del proyecto.

— El precio constituye el aspecto esencial de la negociación. Una vez llegado el momento de fijar precios, se entrará en un proceso de regateo en el que hay que actuar con delicadeza, evitando el enfrentamiento.

— Las técnicas de negociación agresivas son contraproducentes. Sobre todo en situaciones críticas, hay que sonreír y utilizar un tono amistoso y agradable.

— Otros elementos importantes para tener éxito en la negociación son: crear un clima de confianza y buscar la relación a largo plazo.

— Los temas delicados o difíciles siempre se deben tratar personalmente y sin prisa. Es un error utilizar el teléfono o medios de comunicación escrita (cartas, fax, *e-mail*) para resolverlos.

— La toma de decisiones está muy jerarquizada, tanto en las estructuras políticas como en las empresariales. Es esencial plantear las reuniones a alto nivel y establecer una relación con las personas que deciden.

— Existe una elevada tendencia a improvisar, e incluso llega a molestar la pretensión de planificar las relaciones comerciales. Hay que insistir en los compromisos y la organización, aunque siempre dejando cierta flexibilidad e imaginación para resolver los imprevistos, que con toda seguridad se van a producir.

— El uso del tiempo es flexible, sobre todo en el cumplimiento de los plazos. Existe la creencia de que la prisa trae malos augurios. No se debe esperar a que tomen la iniciativa. Los asuntos hay que perseguirlos, confirmarlos y recordarlos continuamente.

— Los contratos no difieren de los modelos que se utilizan en la Unión Europea. No es habitual utilizar los servicios de un abogado para su redacción.

MÉXICO

— México comprende cuatro grandes zonas que requieren estrategias de penetración diferentes: México D.F. (Distrito Federal), con 23 millones de personas y el 30% del PIB, es el área con mayor presencia de empresas extranjeras y también la más saturada comercialmente; la zona oeste alrededor de Guadalajara, la segunda en nivel de desarrollo; la franja central (Puebla, Querétaro, León), menos explotada y con gran potencial, y la zona sur, en torno al puerto de Veracruz.

— Debido a las estructuras de la distribución y las dificultades logísticas, es difícil llegar al cliente final. Lo más aconsejable es nombrar un representante (agente o importador-distribuidor) y evitar darle exclusividad.

— A pesar de la liberalización, el acceso al mercado desde el punto de vista legal y administrativo puede resultar complicado. Conviene constatar que se está en condiciones de cumplir las Normas Oficiales Mexicanas (NOM). El funcionamiento de las aduanas es lento y, a veces, discrecional. Es necesario contratar los servicios de un agente de aduanas diligente y experimentado.

— Hacer negocios en México requiere esfuerzo y tiempo. Se impone establecer una relación personal y de confianza con la otra parte. Será necesario visitar varias veces el país. La toma de decisiones es lenta.

— En el trato, tanto a nivel personal como profesional prima la educación y la cordialidad. Por ello, se evita decir directamente «no». Aunque se piense que la propuesta no es adecuada, se dirá que el producto es bueno y que tiene posibilidades en un mercado de tanto potencial. El caso es no desagradar al visitante extranjero.

— La conversación empieza con una charla informal antes de entrar en materia de negocios. A lo largo de la reunión se van mezclando temas profesionales con comentarios personales.

— Las negociaciones no se atienen a unos temas previamente pactados. No es necesario establecer una agenda de temas a tratar.

— El ritmo de conversación es lento, y el tono de voz más bajo que en Europa. Utilizan los silencios para pensar sobre lo que se va a decir o responder a preguntas que implican alguna decisión. Acelerar el ritmo o interrumpir los silencios sería contraproducente.

— En la negociación hay que buscar el equilibrio: no conviene tomar siempre la iniciativa, pero tampoco dejarse llevar. Es contraproducente utilizar tácticas de presión.

© Ediciones Pirámide

— Hay que poner énfasis en la confianza y beneficios mutuos para las empresas que negocian. Los argumentos emocionales pueden ser más efectivos que los argumentos lógicos basados en cifras.

— Aunque aparentemente son abiertos a nuevas ideas y conceptos, en realidad son conservadores y rara vez cambian sus opiniones.

— Los mexicanos conceden mucha importancia a la opinión que tienen los demás sobre ellos. Una sonrisa despectiva o un bostezo en un momento inoportuno pueden echar al traste un negocio.

— El regateo es una costumbre muy extendida y a la que se dedica tiempo. En las ofertas iniciales conviene dejar un amplio margen de negociación.

— Cuando hay desacuerdo, no es aconsejable ceder sin pedir nada a cambio, ya que se entendería como un signo de debilidad.

— Las decisiones se toman al más alto nivel. No obstante, la negociación, el análisis y la evaluación de las propuestas los realizan los cuadros medios de las empresas. Éstos tienen acceso directo al empresario o directivo que ostenta el poder.

— Existe una tendencia a demorar las tareas que se tienen que hacer. Cuando se les presiona para que hagan algo responden con expresiones como *ahorita* o *ahoritita*. El sentido de urgencia de estas palabras no denota necesariamente interés.

— En operaciones importantes se negociará con directivos y altos funcionarios que tienen buena formación empresarial y técnica. Muchos han estudiado en universidades norteamericanas o europeas de prestigio.

— Una vez que se ha llegado al acuerdo, es conveniente realizar un contrato, aunque no son partidarios de contratos muy detallados. Consideran los contratos como unos objetivos a alcanzar, no como unos compromisos de obligado cumplimiento.

PAÍSES BAJOS

— Los Países Bajos son un mercado muy desarrollado, exigente y maduro, que brinda posibilidades solamente a las empresas que mantengan una buena relación calidad/precio.

— La competencia es muy dura: tanto los directivos como los consumidores son muy minuciosos y exigentes en sus decisiones de compra. Son compradores muy racionales y nada impulsivos.

— La idea que preside las negociaciones es la planificación. Todo debe estar organizado y ajustarse a lo programado. La improvisación está mal vista.

— La puntualidad es esencial; incluso es mejor llegar unos minutos antes. Si se llega tarde se transmite una sensación de incompetencia o desconfianza.
— Conviene establecer las citas con varios días de antelación, ya que los ejecutivos holandeses viajan mucho y tienen sus agendas muy cargadas.
— En las reuniones no se pierde el tiempo en conversaciones preliminares. En seguida se entra en materia.
— Los negociadores holandeses dominan varias lenguas (inglés, francés, alemán, español). No será necesario utilizar intérpretes.
— Es importante crear un clima de confianza y credibilidad, ya que los holandeses buscan las relaciones a largo plazo.
— En las presentaciones se debe ser claro en los conceptos y preciso en las cifras. Los errores son difíciles de superar. Es conveniente utilizar gráficos y cuadros.
— En los Países Bajos existe una gran admiración por el Reino Unido. Si se tiene experiencia en ese mercado conviene mencionarlo, ya que será una referencia muy positiva.
— En la negociación se analizan los precios minuciosamente, aunque también son importantes otros factores. Las primeras ofertas deben estar cerca de los precios de cierre, ya que no son muy partidarios de regatear. Se perderá credibilidad si se hacen muchas concesiones.
— Los holandeses son muy directos, efectivos y ágiles en sus relaciones comerciales. El único momento en el que mantienen una cierta ambigüedad es cuando tienen que responder negativamente a una oferta que se ha negociado. Pueden utilizar evasivas o alegar problemas difíciles de superar en vez de decir «no» directamente.
— No tienen por costumbre dar mucha información sobre sus empresas o negocios ni tampoco pedirla directamente a la otra parte. No obstante, suelen investigar a sus potenciales clientes y proveedores.
— Una vez que se ha negociado una propuesta, es aconsejable preparar una carta de intenciones o un memorándum en el que se resuman las condiciones que se han establecido. Servirá como referencia para próximas negociaciones.
— Las decisiones se toman por consenso. Se consulta a todas las personas afectadas. El proceso es lento, sobre todo si se compara con la fase de negociación, que suele ser muy rápida. Hay que tener calma y no utilizar técnicas de presión, ya que no se conseguiría nada.
— Una vez que se ha tomado una decisión, ya no se cambia. Rápidamente se ejecutan los acuerdos y se hace todo lo posible para cumplir los objetivos.

— Las empresas holandesas son muy formales en las relaciones con otras empresas. Hay que acusar recibo de cualquier comunicación escrita que se reciba.
— Cuando se trabaja a través de agentes o distribuidores, lo habitual es firmar contratos.
— Es esencial dar una respuesta rápida a las peticiones de precios, confirmación de pedidos, información sobre envíos, etc. Para que los negocios se mantengan, hay que estar en estrecho contacto con ellos.

POLONIA

— Por su tamaño y potencial de crecimiento, Polonia es el mercado más importante de Europa del Este. No debe considerarse como la puerta de entrada a la zona, sino como un mercado en sí mismo, que justifica una estrategia y unos recursos para su conquista.
— No se debe llegar al mercado polaco con una estrategia de entrada preconcebida. Hay que ser flexible y adaptarse a las oportunidades que se presentan, especialmente en posibles alianzas con empresas polacas.
— Los viajes comerciales deben planificarse con tiempo. La escasez de oferta hotelera aconseja hacer las reservas con antelación. Para desplazarse por el país, debido a las deficiencias en la red viaria, es mejor viajar en tren.
— Es conveniente contratar los servicios de un agente local que facilite el acceso a las empresas y ayude con la compleja burocracia estatal.
— El conocimiento de idiomas extranjeros de las empresas polacas es limitado. En muchas ocasiones será necesario utilizar los servicios de un intérprete. Cuando se negocie en inglés debe hablarse despacio, utilizar un lenguaje sencillo y evitar expresiones coloquiales.
— El material promocional, los informes y las propuestas deben traducirse al polaco. Hay que cuidar que la impresión y las fotografías sean de buena calidad, ya que en Polonia hay una gran tradición en artes gráficas.
— En sectores industriales, los negociadores polacos presionarán para conseguir transferencias de tecnología y formación técnica de los trabajadores. Es mejor mantener estas concesiones hasta el final de la negociación, cuando se están cerrando los acuerdos económicos.
— El riesgo de cobro es elevado y, sin embargo, no es fácil encontrar mecanismos para cubrirlo —la carta de crédito se utiliza poco y las coberturas que ofrecen las empresas aseguradoras son limitadas—. Al princi-

pio de la relación es frecuente el uso del prepago, que luego se sustituye por crédito al comprador.

— Los instrumentos financieros y las técnicas de valoración de activos son poco conocidos. Cuando se negocia la compra de empresas o la constitución de *joint-ventures,* puede dar la impresión de que pretenden ocultar o engañar sobre el valor de sus activos, pero en realidad es falta de conocimiento sobre estos temas.

— La confianza entre las empresas reside más en hechos objetivos y experiencias comerciales que en las relaciones personales que mantengan sus directivos.

— La toma de decisiones es lenta: está sometida a consenso y a una burocracia heredada del pasado. Es más probable que los retrasos se deban a problemas internos que a falta de interés por la oferta que se está negociando.

— Dada la complejidad de la lengua polaca, para todos los asuntos legales que se traten en el país será necesario contratar los servicios de un abogado local.

— Para vender en el mercado polaco hay que tener una presencia continuada en el país, bien a través de viajes comerciales frecuentes, bien abriendo una filial comercial.

PORTUGAL

— Empresarialmente, el país se divide en dos grandes zonas: centro-sur (con las ciudades de Lisboa-Setúbal) y norte (Oporto). La actividad comercial y de consumo se concentra en estos dos grandes núcleos urbanos, que representan el 40% de la población y el 60% de la riqueza.

— La influencia de los grupos familiares es muy significativa en la economía portuguesa, con ramificaciones en los sectores más importantes (banca, distribución, construcción). Si se pretende realizar negocios de cierta dimensión, habrá que contactar con alguno de ellos.

— Para acceder a empresas industriales o a detallistas, la figura del agente comercial está muy reconocida. No obstante, no existe colegio oficial de agentes comerciales, por lo que su búsqueda debe hacerse a través de ferias o publicaciones especializadas. Las relaciones con los agentes se formalizan en contrato.

— Conviene establecer las citas con bastante anticipación y por escrito. La puntualidad, sobre todo en Lisboa y los principales núcleos urbanos, es esencial.

— Los portugueses son personas modestas, con un carácter reservado y con tendencia a la desconfianza. No conviene mostrarse muy expresivo ni exagerar en las argumentaciones. Igualmente hay que ser comedido en los gestos.

— La personalidad de los portugueses tiene un fuerte componente de nacionalismo, especialmente en relación con España. Hay que evitar cualquier comportamiento que denote suficiencia o superioridad.

— El estatus profesional es importante. Conviene que el representante de la empresa extranjera tenga el mismo rango y una edad similar a la de su homólogo portugués.

— En las presentaciones debe hacerse hincapié en los beneficios de la oferta para la empresa concreta a la que va dirigida. No es necesario entrar en demasiados datos técnicos y cifras.

— Aunque el nivel de conocimiento del inglés y del español es elevado, se valora mucho el esfuerzo de los negociadores extranjeros por hablar portugués. En cualquier caso, nunca está de más disculparse por no hablar su lengua antes de comenzar la reunión.

— El ritmo de las negociaciones es lento. Las concesiones se hacen poco a poco.

— Tradicionalmente el argumento esencial para vender era el precio. No obstante, cada vez se valora más la calidad y los aspectos intangibles de la oferta (el servicio, la garantía, la marca, el prestigio del proveedor, etc.).

— Los riesgos en el cobro son elevados. No hay que olvidar que Portugal es el país de la Unión Europea, conjuntamente con Italia, que presenta mayor índice de devoluciones y retrasos en los pagos. Hay que tomar las debidas precauciones. El asesoramiento bancario puede ser de gran utilidad.

— Para que los negocios se consoliden, hay que estrechar las relaciones personales. Conviene mantener un contacto continuado con las empresas, pero no bastan las comunicaciones por teléfono, fax o *e-mail*. Hay que visitar periódicamente el país.

REINO UNIDO

— El Reino Unido de Gran Bretaña e Irlanda del Norte (nombre oficial del país) se compone de cuatro partes constituyentes: Inglaterra, Gales, Escocia e Irlanda del Norte (Ulster). Las tres primeras forman parte de la isla de Gran Bretaña; Irlanda del Norte comparte la isla de Eire con la República de Irlanda.

— El término *Brits* («británicos»), se refiere a los habitantes de Gran Bretaña, si bien no es apreciado por la mayoría de los galeses y escoceses,
que prefieren ser llamados por sus respectivos patronímicos: *Welsh* para
los galeses y *Scots* para los escoceses —no confundir con la bebida
(scotch)—. El término *English* («ingleses») sólo debe utilizarse en Inglaterra. A los habitantes de Irlanda del Norte se les llama *Irish*. Aunque la mayoría de los negocios internacionales se realiza con Inglaterra, conviene tener clara esta terminología cuando se negocia en Gales,
Escocia o Irlanda del Norte.

— Los ingleses consideran a su país diferente de la Europa continental, por
razones geográficas y culturales. Es famosa la portada del periódico *The
Times* que, a propósito de una tormenta en el Canal de la Mancha, titu-
laba «El continente, aislado de Gran Bretaña». En consecuencia, es mejor
no dirigirse a ellos como europeos.

— La mejor forma para contactar con una empresa es a través de una tercera parte, que luego no participará en las negociaciones. Si no se tiene
ningún contacto, es mejor dirigirse a la empresa, en general, más que a
una persona o departamento en concreto.

— Los ingleses están normalmente más interesados en los resultados a corto plazo que en las relaciones a largo plazo.

— En el Reino Unido se prefiere tratar con ejecutivos *senior;* se asume que
la edad significa autoridad y un comportamiento más formal y reservado en las relaciones.

— El trato es bastante frío *(cool),* distante y muy profesional. No está bien
visto utilizar argumentos emocionales ni gesticular en exceso.

— Los ejecutivos ingleses no se caracterizan por preparar las reuniones
con mucho detalle. No es necesario establecer una agenda de temas a
tratar.

— Las reuniones de negocios comienzan y terminan con una breve charla
informal *(small talk)*. Hay que hablar de temas banales: el viaje, el tiempo,
el tráfico, etc. No se deben hacer preguntas personales, ni siquiera del
tipo de: «¿De dónde es usted?».

— En los primeros contactos los ingleses permanecen impasibles. Hacen pocos
gestos y no dan su opinión sobre las ofertas que se les presentan. Todo lo
más realizan algunas insinuaciones o comentarios indirectos. No hay que
olvidar que son los maestros del *understatement* («explicaciones incom-
pletas»). Las tácticas agresivas, tales como presionar para la toma de decisiones o criticar a una empresa competidora, no son bien recibidas.

— El humor está muy presente en las discusiones de negocios. Consiste
sobre todo en implicar lo opuesto de lo que se está diciendo y no expli-

car lo obvio. Lo utilizan como un arma para mostrar desacuerdo, para debilitar los argumentos de la otra parte y, también, para disimular una contrariedad.

— Las propuestas iniciales no deben inflarse, ya que los ingleses no son partidarios del regateo ni de pedir mejoras sustanciales sobre lo que se ofrece.

— Los ingleses se sienten más cómodos con propuestas que significan continuidad y estabilidad que con aquellas que inciden en el cambio o la innovación.

— Aunque la cultura británica es jerárquica, el trabajo en equipo es importante, y antes de presentar una propuesta al directivo que tiene las atribuciones de decidir, se alcanza un consenso entre las personas implicadas en el nuevo negocio.

— En las decisiones, suelen guiarse por normas establecidas o por precedentes similares más que por sentimientos o ideas personales. Por ello, las propuestas tienen más posibilidades de éxito si se ajustan a la forma habitual en que se hacen las cosas en la empresa.

— El proceso de decisión tiende a retrasarse, incluso, deliberadamente. Si se toma una decisión negativa no tienen dificultades para comunicarlo claramente.

— Una vez que han tomado la decisión de hacer el negocio, el trato pasa a ser muy directo y franco. No tienen problemas en decir claramente lo que piensan.

— Cuando el negocio se formaliza en un contrato, insistirán en someterlo a la ley británica. Lo mejor es mantener una reunión previa (*preliminary discussions*) de las dos partes con sus abogados respectivos. En todo caso, hay que tener cuidado, ya que los contratos en el Reino Unido están sujetos a fuertes indemnizaciones por incumplimiento.

REPÚBLICA CHECA

— La República Checa es el país de Europa del Este con mejor evolución de su economía, la renta per cápita más elevada y un mayor número de multinacionales instaladas en su territorio. Todo ello, unido a su situación geográfica, le convierten en una plataforma idónea para hacer negocios en el noreste de Europa.

— Los checos presentan bastantes semejanzas en su comportamiento empresarial con los alemanes, sobre todo en la idea de planificar y de llegar al detalle de los asuntos.

— La economía checa está muy abierta al exterior. Conviene hacer hincapié en las experiencias internacionales que se tengan, sobre todo en Alemania.

— El tejido empresarial está en continuo cambio: hay empresas que desaparecen, otras que cambian de actividad y otras que surgen nuevas. Hay que depurar los listados de fabricantes y distribuidores antes de dirigirse a ellos.

— En los sectores industriales, muchos de los posibles clientes o socios se encuentran fuera de Praga. Habrá que desplazarse por el país. La red de carreteras está mejor dotada que el ferrocarril.

— El sector de la distribución al por menor está dominado por las multinacionales, aunque hay algunas cadenas de capital local, sobre todo en alimentación.

— El trato en los negocios es formal. No conviene adoptar una postura relajada o desenfadada ni contar chistes.

— La puntualidad es una costumbre muy arraigada. Si se llega con retraso, conviene justificarlo y pedir disculpas.

— El conocimiento de idiomas extranjeros es bajo: algo de alemán los ejecutivos *senior* e inglés los más jóvenes. En principio, será necesario contratar los servicios de un intérprete.

— No se entra directamente en los temas de negocios. Previamente hay una charla sobre el viaje, el hotel, la impresión sobre el país, etc.

— La cultura de empresa está muy jerarquizada. En una negociación con más de dos personas es indispensable dirigirse siempre a la de mayor nivel jerárquico, que será finalmente quien tome la decisión.

— La toma de decisiones es lenta. Todavía predominan comportamientos burocráticos ligados al pasado.

— No es fácil establecer relaciones personales con los checos. Aunque son muy hospitalarios, hay que tener en cuenta que hasta hace relativamente poco tiempo tenían restringido el contacto con los extranjeros.

— Debido a la complejidad de la normativa checa y a las dificultades del idioma, para realizar contratos o crear sociedades conviene contar con el asesoramiento de un despacho de abogados local.

— Una vez que se han establecido relaciones, deben cuidarse mucho y visitar el país frecuentemente. Las empresas checas no se caracterizan por su fidelidad a los proveedores.

RUMANÍA

— A pesar de su localización en el centro de Europa, la cultura rumana se asimila más a la de los países latinos como Italia o Francia. Rumanía significa «tierra de romanos».

— La incertidumbre y el riesgo van parejos a las oportunidades de negocio que existen en el país. Conviene ser precavido, informarse hasta donde sea posible y utilizar los sistemas de cobertura de riesgos disponibles.

— Para hacer negocios en Rumanía hay que estar muy presente en el mercado, bien sea visitando de forma continuada el país, bien estableciendo una filial comercial. Otra posibilidad es nombrar un representante comercial. En este último caso es necesario solicitar autorización al Ministerio de Comercio y Turismo y pagar las tasas correspondientes.

— Las citas deben concertarse con al menos dos o tres semanas de antelación. En la correspondencia debe utilizarse el inglés.

— Debido al escaso conocimiento de idiomas extranjeros, será necesario contratar los servicios de un intérprete, a menos de que exista la certeza de hablar un idioma común con la otra parte.

— El conocimiento de italiano o español no sirve para entenderse en rumano. La forma de construir las frases es diferente y, además, un 20% de su vocabulario procede de lenguas eslavas.

— El carácter rumano es muy receptivo y abierto. Tienen una gran simpatía por los visitantes extranjeros, a los que tratan con mucha cordialidad.

— Los rumanos agradecen mucho cualquier cumplido o comentario personal que refuerce su autoestima, quizá como consecuencia de las dificultades que encuentran en la vida diaria.

— Otra característica de los rumanos es la desconfianza. Hay que actuar de forma franca, sin caer en la más mínima contradicción, ya que podría provocarse recelo.

— En la negociación conviene tomar la iniciativa. Hay que ofrecer mucha información con cifras, datos y experiencias que refuercen los argumentos.

— Teniendo en cuenta su escasa capacidad adquisitiva, el precio y las condiciones de pago son las variables más importantes en una oferta. Otras ventajas como la calidad, el diseño o la marca no son determinantes para vender.

— En la negociación sobre precios conviene partir con un amplio margen, ya que la cultura del regateo está muy extendida en el mundo de los negocios.

— En las operaciones de inversión (compra de empresas, constitución de *joint-ventures,* alianzas, etc.) se dispone de poca información para valorar los activos. Puede dar la impresión de que pretenden ocultar su verdadero valor, pero en realidad es desconocimiento sobre los sistemas de valoración utilizados habitualmente.

— La paciencia es imprescindible para hacer negocios en Rumanía. El equipo rumano retrasará una y otra vez la toma de decisiones basándose sobre todo en dos argumentos: la necesidad de obtener la autorización de una instancia jerárquica superior y los cambios en la legislación.

— La corrupción es una práctica bastante habitual. No conviene ceder a las presiones y entregar cantidades «a cuenta» cuyo destino se desconoce, pensando que con ello se van a agilizar los trámites o conseguir los permisos necesarios.

— Debido a los continuos cambios en el marco legislativo y jurídico, es imprescindible contar con el asesoramiento de un despacho de abogados local, especialmente en operaciones de inversión.

RUSIA

— El aspecto más oscuro de la economía rusa es la presencia de organizaciones mafiosas en los negocios. Las empresas extranjeras son regularmente chantajeadas, y su personal, amenazado. La mafia constituye una especie de gobierno en la sombra y como tal debe ser tratada. La corrupción es como un impuesto más. Si no se está dispuesto a lidiar con este componente turbio de los negocios, es mejor abstenerse de ir a Rusia.

— No es fácil conseguir una cita de negocios en Rusia. Una vez que se ha logrado, conviene reconfirmarla varias veces para evitar su cancelación.

— La primera reunión suele ser únicamente para conocerse y valorar la credibilidad de la otra parte. Lo normal es que se muestren fríos y reservados acerca de las posibilidades de hacer negocios.

— En el primer contacto es importante averiguar el verdadero interés que tienen en hacer negocios y en su capacidad para pagar. Puede ser que sólo estén buscando información.

— La estrategia negociadora de los rusos es de ganador-perdedor. Lo que una parte gana la otra lo pierde. Frente a esta actitud conviene resaltar los beneficios que se pueden obtener con la cooperación entre las partes.

— Las presentaciones deben realizarse de forma sencilla y fácilmente comprensible. La prioridad es causar una impresión general buena más que ofrecer una información exhaustiva apoyada en muchos datos y hechos.

— Es conveniente que el material que se entregue esté traducido al ruso. Cuando se negocia fuera de Moscú se deben llevar copias suficientes, ya que la infraestructura de las oficinas (ordenadores, fotocopiadoras, faxes, etc.) es muy escasa.

— Normalmente será necesario negociar a través de intérpretes, ya que el conocimiento de idiomas extranjeros es bajo. Es mejor llevar un intérprete de confianza que utilizar el suyo.

— Es habitual que las reuniones sean interrumpidas por llamadas telefónicas (sobre todo a los móviles) o por visitas.

— Los rusos son muy agresivos negociando: cólera, enojo, amenazas de abandonar la negociación, etc., son comportamientos habituales. Hay que mantener la calma y esperar a que pase el temporal.

— En ocasiones hacen ver que entienden y aprueban los argumentos de la otra parte aunque no sea cierto. Con ello tratan de compensar las tácticas agresivas anteriormente utilizadas.

— Muchos directivos rusos no conocen bien las técnicas ni los conceptos de gestión empresarial. No se debe abusar de términos como rentabilidad, marketing, dirección por objetivos, etc.

— En negociaciones de cierta importancia se acostumbra a redactar un acta (*protokol*) detallando lo que se ha discutido. Al final de la reunión se lee, las partes muestran su conformidad y se firma.

— La negociación es dura: suelen hacer muy pocas concesiones y pedir grandes mejoras a cambio. Hay que partir con un amplio margen de maniobra.

— Los rusos aplican a las negociaciones comerciales sus conocimientos en el juego del ajedrez. Atacan por la parte más débil del contrario. Tienen una cierta sensibilidad para saber hasta dónde pueden forzar la situación.

— A pesar de que la economía planificada desapareció hace tiempo, el proceso de toma de decisiones es muy lento y burocrático, en ocasiones de forma deliberada. Será necesario visitar varias veces el país si se quiere hacer negocios.

— La cultura de negocios en Rusia está muy jerarquizada; la mayoría de las decisiones se toman al máximo nivel; de ahí la importancia de tener contacto con los máximos responsables de las empresas. No debe negociarse a través de intermediarios o cuadros medios.

— El problema crítico para cerrar las negociaciones es la forma de pago. Existen dificultades para obtener el pago en divisas fuertes (dólares o euros); nadie quiere el rublo, ya que no cotiza en los mercados de divisas. Será necesario contar con un asesor introducido en el sector financiero.

— En operaciones de compra pueden pedir que se les pague en efectivo o se les trasfiera parte del dinero a una cuenta en un banco fuera del país.

— El marco legal de las relaciones empresariales no está muy desarrollado, por lo que en caso de conflicto una alternativa puede ser pactar en el contrato que se acuda al arbitraje en un tercer país (Suecia suele ser el más utilizado).

SUECIA

— Suecia es un país muy disciplinado: puntualidad, rigor en las negociaciones, cumplimiento de los compromisos, etc.; los suecos esperan lo mismo de aquellos que desean trabajar con ellos.

— El acceso al mercado sueco es lento y complejo, ya que además de tratarse de un mercado maduro las empresas difícilmente cambian de proveedores o socios.

— En principio no será difícil concertar una cita de negocios. Los ejecutivos son bastante accesibles. Eso sí, hay que solicitarla con, al menos, tres semanas de antelación. Es conveniente mandar previamente un dossier de la empresa; incluso, en ocasiones, piden directamente una propuesta para compararla con la de sus proveedores y no perder el tiempo recibiendo a empresas cuyas ofertas están fuera de mercado.

— La puntualidad es fundamental: se considera como una prueba del funcionamiento de la empresa. Se entiende que si no se es capaz de acudir puntual a una cita tampoco se cumplirán los compromisos que se adquieran en un contrato.

— Existe un elevado conocimiento del inglés. Fuera de los principales núcleos urbanos el alemán también es útil.

— Las reuniones se desarrollan de forma rápida y precisa. Se entra directamente en negocios sin conversaciones previas.

— El tono es formal. El humor no está presente en las negociaciones. Es positivo mantener una actitud reservada, incluso de cierta timidez.

— Los suecos tienen una buena preparación técnica y empresarial. Las presentaciones deben ser realistas y detalladas. Hay que usar datos y gráficos con profusión. Los argumentos emocionales no surtirán ningún efecto.

— Es importante cuidar todo lo que se refiere a la historia de la empresa y a la imagen de marca. Es más fácil entrar si se transmite una imagen de empresa conocida y de buena reputación que si nos presentamos como una empresa desconocida aunque tenga buenos productos.

— Los suecos son duros negociadores, aunque no les gusta regatear. Su estrategia es permanecer en su posición y analizar detalladamente la propuesta de la otra parte para detectar dónde pueden obtener mejoras.

— El poder de decisión está muy descentralizado. Los altos directivos delegan buena parte de las decisiones en los cuadros medios, que tienen un perfil técnico. Será con ellos con los que se negocie.

— Una buena táctica es invitarles a visitar las instalaciones propias. Si aceptan, es muy posible que la operación se realice.

— En los mercados de consumo hay que tener en cuenta que los precios finales son bastante más altos que los precios a los que ellos compran; hay que añadir unos elevados márgenes de distribución y el IVA.

— Los contratos son muy detallados. Esperan que se cumplan a rajatabla todas las cláusulas que figuren en ellos. Por el contrario, a los temas que no figuran en el contrato no se les prestará atención.

— Las empresas suecas buscan establecer relaciones a largo plazo más que operaciones puntuales que impliquen un beneficio inmediato. Son muy fieles a los proveedores que se han ganado su confianza.

— Si se consigue entrar en el mercado sueco, será una buena tarjeta de presentación para acceder a otros mercados escandinavos.

SUIZA

— Hay que distinguir tres Suizas diferentes: la alemana (70% de la población en ciudades como Zúrich, Berna y Basilea), la francesa (25% en Ginebra y Lausana) y la italiana (5% en Lugano). Entre ellas hay notorias diferencias económicas y culturales. Un lema suizo es «unidad, sí; uniformidad, no».

— Por encima de las diferencias regionales prevalece el carácter suizo: formal, responsable, tolerante, sencillo, minucioso, orgulloso y muy celoso de su intimidad.

— En Suiza se concede una gran importancia a la puntualidad. Conviene llegar a las citas unos minutos antes de la hora establecida. Si se va a llegar tarde, aunque sea diez minutos, hay que avisar por teléfono y justificar el retraso al comienzo de la reunión.

— El ambiente de las reuniones es muy serio. No se deben hacer bromas ni animar a los interlocutores a mostrarse más alegres o distendidos.

— En la Suiza alemana se entra directamente en materia. En la zona francesa e italiana suele haber una breve charla informal.

— El conocimiento de idiomas no es tan alto como podría esperarse en un país con varias lenguas oficiales. Hablan inglés, pero no con la soltura de los holandeses, alemanes o escandinavos. En la Suiza alemana no es fácil entenderse en francés, ni el la Suiza francesa en alemán.

— La cultura de negocios suiza es muy reacia al riesgo. Pedirán mucha información y tomarán precauciones antes de implicarse en un negocio nuevo.

— Si la compañía que se representa es antigua, conviene destacarlo en la documentación y en las presentaciones: los suizos valoran mucho la tradición.

— Las redes de distribución abarcan, generalmente, todo el país. A diferencia de Alemania, no será necesario buscar agentes o distribuidores para cada zona.

— Los negociadores suizos tienen fama de obtener lo que desean sin utilizar tácticas agresivas ni parecer exigentes. Simplemente ellos «ofrecen lo que vale». El regateo no forma parte de su estrategia negociadora. Revisan detalladamente las propuestas para detectar dónde pueden pedir mejoras.

— A pesar de su alto poder adquisitivo, los suizos otorgan mucha importancia al precio a la hora de comprar. Las ofertas iniciales deben ajustarse bastante a los precios a los que se quiere cerrar.

— Las decisiones están muy jerarquizadas, sobre todo en la Suiza francesa e italiana. No obstante, antes de que el directivo responsable tome una decisión todas las partes implicadas deben ponerse de acuerdo.

— El proceso de decisión es lento. Las tácticas de presión son contraproducentes. No existe ninguna forma de acelerar las decisiones.

— Los suizos plantean las relaciones comerciales a largo plazo. Hacen pedidos pequeños al principio y los van aumentando a medida que adquieren confianza.

— En el seguimiento de las operaciones se debe utilizar más la carta, el fax o el *e-mail* que el teléfono, ya que les gusta documentar los asuntos por escrito.

— Lleva mucho tiempo establecer relaciones personales con los suizos. Si se consigue, se reforzará la relación profesional.

TURQUÍA

— Turquía ocupa una posición geográfica estratégica: se la considera un puente entre Oriente y Occidente. Tiene vínculos con países del Este de Europa (Bulgaria, Rumanía), antiguas repúblicas de la Unión Soviética (Ucrania, Armenia y Georgia) y países del Asia Central (Irán, Irak, Siria).

— No debe cometerse el error de considerar a Turquía como un país árabe. Si bien la mayor parte de la población es musulmana, constitucionalmente el Estado es laico.

— En el tejido empresarial tienen un peso importante las compañías públicas (KIT) y los grandes *holdings* familiares (Sabanci, Koç, Alarcom, etc.), que se apoyan en bancos. Para negocios de envergadura deberá tratarse con alguno de ellos.

— Las relaciones personales son muy importantes para acceder al mercado turco. Será necesario buscar un representante, distribuidor o socio local. El éxito está condicionado a su elección. No hay que precipitarse. Conviene entrevistarse con varios antes de elegir uno.

— El sector privado se encuentra concentrado en Estambul. Es allí donde deben buscarse agentes o distribuidores y donde tienen lugar las principales ferias. Si se trata de negociar con la Administración o con empresas estatales, se deberá buscar un representante en Ankara que disponga de buenos contactos.

— Las citas deben concertarse con bastante tiempo de antelación (tres-cuatro semanas) y confirmarse a la llegada al país. En los negocios se observa una estricta puntualidad, quizá debido a la influencia de Alemania, que es su principal socio comercial. En Estambul y Ankara hay que prever tiempo suficiente para los atascos de tráfico.

— El idioma de trabajo es el inglés, aunque también tienen conocimientos de francés y alemán. Aprecian mucho que el visitante extranjero diga algunas palabras en turco.

— La conversación de negocios es precedida por una larga charla de temas generales. Hay que tener paciencia y esperar a que sean ellos los que entren en materia.

— Los turcos tienen mucho sentido del humor, que consideran un signo de inteligencia. Es mejor compartir sus gracias que contar chistes o historias propias.

— En cualquier negociación se producirá un intenso regateo —el mejor ejemplo son los vendedores del zoco de Estambul—. Nada tiene un precio estipulado. Hay que mostrarse duro y dar la impresión de que se va a abandonar la reunión en cualquier momento. Si detectan que lo que se pide está muy lejos de lo que se está dispuesto a aceptar, llegarán hasta el límite.

— Los precios de las operaciones de comercio exterior se fijan en dólares, ya que debido a la elevada inflación que sufre el país la lira turca se deprecia de forma continuada.

— Los contratos se establecen en términos generales, sin entrar en cuestiones específicas que se van negociando a lo largo de la relación comercial.

Direcciones web

A continuación se proporcionan cincuenta direcciones de Internet útiles para las personas que negocian en mercados internacionales. Se estructuran en cuatro apartados: información sobre países, información sobre empresas, cobertura de riesgos e información para viajes. Para cada dirección se ofrece el nombre u organismo al que pertenece la página y una breve descripción de lo que ofrece. La mayor parte de estas páginas son de acceso gratuito. En las que son de acceso restringido, porque es necesario registrarse y/o los servicios que se ofrecen son de pago, se indica. Si en algún caso no se consigue el acceso, lo más aconsejable es teclear desde el buscador Google *(www.google.com)* el nombre de la página, ya que se ha podido producir un cambio en la dirección, aunque la página continúe operativa.

a) Información sobre países

Secretaría de Estado de Comercio de España: informes y fichas de países realizados por las oficinas comerciales de España en el exterior.
www.mcx.es/polco/default.htm

TCC (Trade Compliance Center): guías sobre cómo hacer negocios *(country comercial guides)* de prácticamente todos los países del mundo elaboradas por el Departamento de Estado de Estados Unidos.
www.state.gov/www/about_state/business/com_guides

CIA factbook: informes de países realizados por la CIA. Datos actualizados de población, gobierno, economía, etc., que facilitan la comparación entre países.
www.cia.gov/cia/publications/factbook/indexgeos.html

Banco Mundial: información actualizada por grupos de países y países individuales *(country at a glance)* de datos económicos básicos elaborada por el Banco Mundial.
www.worldbank.org/data/countrydata.html

Market access database: base de datos de la UE con aranceles, barreras a la importación y documentación necesaria para exportar a terceros países.

mkaccdb.eu.int

Hieros Gamos: guías de países con normativa sobre inversiones extranjeras, fiscalidad, propiedad intelectual, contratos con agentes y distribuidores, establecimiento de filiales, propiedad intelectual, protección del consumidor, etc. Para cada país, incluye enlaces y directorios especializados en temas jurídicos.

www.hg.org/guides.html

AdmiNet: página orientada a proporcionar información política y sociocultural de diferentes países.

www.adminet.com

Economist Intelligence Unit: informes políticos, económicos, de clima empresarial, inversiones, etc., en 195 países (acceso restringido).

CEEBIC: página del Departamento de Comercio de Estados Unidos con información de quince países de Europa Central y Oriental. En el apartado *market research* se encuentran disponibles estudios de mercados sectoriales para cada país.

www.mac.doc.gov/cebic/ceebic.html

BISNIS: información para hacer negocios en Rusia y repúblicas independientes elaborada por el Departamento de Comercio de Estados Unidos. En el apartado de *Industry Report* se facilitan estudios sectoriales por países.

bisnis.doc.gov

ALADI: página de la Asociación Latinoamericana de Integración con información de los países de la región. Se incluyen estadísticas de comercio exterior, aranceles, normativa sobre importación, ferias y encuentros empresariales, etc. En el apartado «directorio de importadores» se proporcionan enlaces con páginas de asociaciones de importadores de varios países de América Latina.

www.aladi.org

CIDEIBER: Centro de Información y Documentación Empresarial patrocinado por la Federación de Cámaras de Comercio Iberoamericanas. Informes de diez países de América Latina, censo de importadores por productos y oportunidades comerciales.

www.cideiber.com

JETRO: página del organismo del gobierno japonés encargado de promover el comercio exterior, con información útil para exportar a Japón. Base de datos con estudios de mercado por productos, normativa sobre importaciones, informes sobre acceso al mercado japonés en ciertos sectores. En el apartado «Japan Trade Directory» se facilita un directorio de importadores y exportadores japoneses por categorías de producto.

www.jetro.go.jp

Asia Business: directorio de empresas asiáticas y links de negocios en Asia. Tiene un apartado de fuentes gubernamentales y un directorio de páginas web con enlaces a páginas de los principales países de la zona.

www.asiawww.com/index.htm

China-Inc: información sobre empresas, productos y servicios en China. Tiene un buscador de palabras clave para su base de datos de oportunidades comerciales. Dispone de un directorio de empresas por sectores. En el apartado de *trading* figuran varias corporaciones chinas de comercio exterior.

www.china-inc.com

Trade-India: página orientada a negocios de comercio exterior con India. Informes sobre el país, aduanas, formularios de importación/exportación, logística y transporte, etc. Contiene un directorio de importadores y exportadores por categorías de producto.

www.trade-india.com

Dialog: página de consultora líder mundial en servicios de *business intelligence*. Proporciona información a la medida por países, sectores y productos (acceso restringido).

www.dialog.com

b) Información sobre empresas

Kompass: principal buscador de empresas de todo el mundo por sectores, productos y países (1,6 millones de empresas, 23 millones de productos y 243 mercados regionales). Los datos de localización de empresas son gratuitos (acceso restringido).

www.kompass.com

ComFind: buscador de un millón de empresas en 9.000 categorías de producto. Orientado a pymes. En el apartado de *Barter* se proporciona un directorio de oportunidades comerciales de compraventa de bienes y servicios.

www.comfind.com

Corporate Información: base de datos con información económica y financiera de las principales compañías mundiales. También proporciona información sectorial por países (acceso restringido para cierto tipo de información).

www.corporateinformation.com

Thomas Global Register: directorio de 500.000 fabricantes mundiales, organizados en 10.500 categorías, en 23 países. La búsqueda puede hacerse por producto/servicio o nombre de empresa. Los datos de localización son gratuitos (acceso restringido).

www.tgrnet.com

Thomas Register Europa: directorio de 180.000 fabricantes europeos de 17 países en 10.500 categorías de producto. Gratuito para la localización de empresas (acceso restringido).

www.tipcoeurope.be

Europages: directorio de 500.000 empresas seleccionadas en 30 países europeos. Incluye 30 categorías de producto/servicio, cada una de ellas con subcategorías. Permite realizar búsquedas por zona geográfica (país, región, ciudad), tipo de actividad (fabricante, distribuidor, detallista), número de empleados o facturación.

www.europages.com

Spain Industry: directorio de 160.000 empresas españolas que importan y exportan. La búsqueda puede realizarse por producto o código arancelario. Permite seleccionar la búsqueda por empresas que tienen página web (acceso restringido).

www.spainindustry.com

France Telexport: repertorio francés de importadores y exportadores. Permite realizar búsquedas muy precisas por categorías de producto. Facilita la actividad de la empresa (importador/exportador) y los datos de contacto.

www.telexport.tm.fr

ABC-Bélgica: directorio de empresas belgas con información sobre 27.000 fabricantes, distribuidores y empresas de servicios. La búsqueda puede hacerse por categoría de producto, nombre de empresa o marca.

www.abc-d.be

ABC-Países Bajos: directorio de empresas holandesas por categorías de producto. Tiene una función especial para localizar filiales de compañías extranjeras con sede en Holanda.

www.abc-d.nl

Thomas Register USA: directorio de 170.000 fabricantes de Estados Unidos y Canadá. La búsqueda puede realizarse por producto, nombre de empresa o marca (acceso restringido).

www.thomasregister.com

Guíanet: directorio de empresas fabricantes de Brasil (22.000) y México (14.000) en 5.600 categorías de producto. La búsqueda puede realizarse por ciudad, estado o región de interés.

www.guianet.com

Global Sources: directorio de 260.000 empresas orientado hacia el mercado asiático, aunque también proporciona información sobre otras zonas geográficas.

www.globalsources.com

Woyaa Africa Search: buscador de empresas de África. Se puede realizar la búsqueda por países o categorías de producto.

www.woyaa.com

Unión Internacional de Agentes Comerciales y Brokers: enlaces con asociaciones de agentes comerciales en los principales países europeos y Estados Unidos (470.000 agentes en total).

www.iucab.nl

Anuario de páginas amarillas: buscador de páginas amarillas en 160 países.

www.web-fileexport.com/tel.html

c) Cobertura de riesgos

Creditworthy: portal sobre la gestión de créditos en operaciones internacionales. Ofrece información sobre riesgo-país, mercados emergentes, agencias internacionales de información de crédito y asociaciones de crédito.

www.creditworthy.com/topics/international.html

Barrettwells: portal con información sobre riesgo comercial, riesgo-país y prácticas comerciales. En el apartado de *site index* se proporcionan enlaces con entidades financieras y un diccionario de términos financieros internacionales.

www.barrettwells.co.uk

FCIB: página de la Asociación Internacional de Finanzas y Crédito. En el apartado de *countries updates* se ofrece información actualizada para valorar el riesgo político y económico de los países.

www.fcibglobal.com

CESCE: página de la Compañía Española de Seguro de Crédito a la exportación. En el enlace «Brisk-política de cobertura» se ofrece información por países de la línea de cobertura que se presta y noticias sobre la situación político-económica de los países (acceso restringido).

www.cesce.es

COFACE: página de la principal empresa francesa que ofrece servicios de crédito a la exportación. En coface@rating se accede a un sistema de calificación de riesgo de 35 millones de empresas en 70 países (acceso restringido).

www.coface.fr

Euler: página del grupo financiero líder mundial en seguro de crédito y *factoring,* con presencia en más de quince países (acceso restringido).

www.eulergroup.com

Dun & Bradstreet: página de la empresa norteamericana líder mundial en servicios de información comercial de más de 50 millones de empresas en todo el mundo (acceso restringido).

www.dun.es

Transparency Internacional: organización dedicada a emitir informes, noticias y *rankings* de prácticas corruptas por países.

www.transparency.org

Oanda: convertidor de 164 divisas con tipos de cambio actualizados. Ofrece también enlaces e información sobre los mercados financieros internacionales.

www.oanda.com/convert/classic

d) Información para viajes internacionales

TDS (Travel Document Systems): página orientada a informar a las personas que viajan de los requisitos y formalidades de entrada en cada país (visados, condiciones sanitarias, vacunas, consejos para viajar, etc.). Incluye información práctica de casi todos los países del mundo.

www.traveldocs.com

Go-Global: página que ofrece información útil para viajes (códigos telefónicos, distancias entre ciudades, horarios, días de fiesta, el tiempo, etc.).

www.aglobalworld.com

Travlang: traductor de palabras básicas en 74 idiomas (números, compras, comidas, viajes, direcciones, lugares, fechas y horas, etc.). Ofrece una tabla comparativa de las palabras en los dos idiomas seleccionados.

www.travlang.com

Hotel Guide: buscador de 65.000 hoteles en todo el mundo. La búsqueda se puede hacer por nombre de hotel, ciudad o país.

www.hotelguide.com

Travel health on line: información de carácter sanitario para el viajero internacional (enfermedades, vacunas, precauciones, situaciones de emergencia, etc.).

www.fripprep.com

Time Zone Converter: convertidor de horarios entre las principales capitales del mundo. Enlaces con otros convertidores de medidas, divisas, idiomas, etc.

www.timezoneconverter.com/cgi-bin/tzc.tzc

Intellicast: página que ofrece la situación del tiempo y un pronóstico para los próximos cuatro días en las principales ciudades del mundo. Ofrece numerosos recursos para la organización de viajes internacionales.

www.intellicast.com

Executiveplanet: información sobre protocolo y costumbres para hacer negocios en treinta países. Los informes incluyen datos básicos y direcciones de Internet para cada país.

www.executiveplanet.com

Bibliografía

Acuff, F.: *How to negotiate anything with anyone anywhere around the world*, American Management Association, 1997.

Brake, T., Medina, D. y Walker, T.: *Doing business internationally*, McGraw-Hill, 1995.

Brett, J. M.: *Negotiating Globally*, Jossey Bass, 2001.

Copeland, M. y Schuster, C.: *Global business: planning for sales and negotiations*, Harcourt Brace, 1995.

Curry, J.: *International Negotiating*, World Trade Press, 1999.

Deloffre: *Pratique de la négotiation international*, Éditions Eska, 2000.

Ekman, P.: *Telling lies: clues to deceit in the marketplace, politics and marriage*, W. W. Norton, Nueva York.

Ghauri, P. y Usunier, J. C.: *International business negotiations*, Pergamon, 1996.

Hofstede, G.: *Cultures and organizations*, McGraw-Hill, 1991.

Kennedy, G., Benson J. y McMillan, J.: *Cómo negociar con éxito*, Deusto, 1995.

Kennedy, G.: *Cómo negociar en el mercado internacional*, Deusto, 1997.

Kennedy, G.: *The New negotiating Edge*, Nicholas Brealy Publications, 1998.

Koslow, L. y Scarlett, R.: *Global Business*, Golf Publishing Company, 1999.

Hendon, D.: *Cómo negociar en cualquier parte del mundo*, Limusa, 2000.

Hilden, T.: *Negociación eficaz,* Grijalbo, 1998.

Moran, R. y Stripp, W.: *Successful international business negotiations*, Gulf Publishing Company, Houston, 1991.

Morrison, T., Conaway, W. y Borden, G.: *Kiss, bow or shake hands*, Adams Media Corporation, 1994.

Pasco, C. y Prevet, O.: *Mercatique et négotiation internationales*, Dunod, París, 1994.

Steele, P. T. y Beasos, T.: *Business negotiations, a practical workbook*, Gower Publishing, 1999.

Thompson, L.: *The mind and heart of the negotiator*, Prentice-Hall, 1997.

TÍTULOS DE LA COLECCIÓN